JOUER AVEC LES 5 SENS

TOUCHER, SENTIR, GOÛTER…

Heike Baum

JOUER AVEC LES 5 SENS

TOUCHER, SENTIR, GOÛTER...

casterman

TABLE DES MATIÈRES

AVANT-PROPOS

Nous possédons cinq sens que nous utilisons chaque jour, soit seuls, soit en association. Ce sont :

- l'ouïe
- la vue
- l'odorat
- le goût
- le toucher

Nous voyons et sentons un plat qui nous met l'eau à la bouche. Nous nous bouchons les oreilles en entendant le bruit du moteur d'un avion. Nous aimons serrer contre nous un ours en peluche si doux au toucher.

Il s'agit d'entretenir et de développer ces cinq sens dont l'acuité varie considérablement d'une personne à l'autre. Les nouveau-nés réagissent très tôt aux bruits, ils se calment lorsqu'on les caresse et saisissent tout ce qu'ils voient ; ils refusent les aliments qui leur déplaisent et examinent avec ravissement les objets qui leur « tombent sous la main ». Durant les premières années de la vie, les sens continuent à se développer. Des préférences et aptitudes particulières dans l'un ou l'autre domaine se manifestent également. Alors qu'un enfant aime écouter de la musique, l'autre adore dessiner ou se montre très sensible aux odeurs. Pour préserver la diversité initiale des sensations, ii importe que les parents et éducateurs veillent à stimuler non seulement les sens les plus développés chez les enfants, mais aussi et surtout ceux qui le sont moins. Ce livre renferme de nombreuses suggestions qui les y aideront.

Avant d'entamer un jeu, il convient de se poser quelques questions sur les enfants qui y participeront : quels sont leurs points forts et leurs lacunes ? Veut-on amener des enfants turbulents à se concentrer dans le calme ou encourager des enfants taciturnes à exprimer leurs impressions par des mots ? Les adultes trouveront de nombreuses propositions de jeux adaptées à ces deux types d'enfants. Pour faciliter la préparation d'un après-midi de jeu ou d'un anniversaire, nous avons classé les activités par saison et décrit le principe de chaque jeu dans une brève introduction. Bien entendu, il n'existe pas de règle absolue pour le déroulement d'une réunion d'enfants réussie, c'est-à-dire enrichissante. Toutefois, il est préférable de tenir compte de quelques éléments dans le choix des jeux :

- Optez pour des jeux qui font appel à plusieurs sens car, si un seul d'entre eux est sollicité en permanence, les enfants s'ennuieront rapidement.
- Veillez à alterner les jeux calmes et animés et n'oubliez pas que les enfants ne sont capables de se concentrer que pendant un laps de temps limité.
- Dans le choix des jeux qui exigent de l'habileté et de la rapidité, tenez compte de l'âge de chacun. Il faut que les plus jeunes puis-

sent, eux aussi, tester l'intensité de leurs sensations sans avoir constamment le dessous par rapport à leurs aînés.

- Ne dites pas nécessairement aux enfants avant le début du jeu que vous voulez exercer avec eux le sens de la vue, de l'ouïe ou du toucher. En effet, certains réagissent de manière négative dès qu'ils ont l'impression qu'un jeu est destiné à leur apprendre quelque chose.
- Avant d'entamer des jeux axés sur la relaxation, il peut s'avérer très utile de créer une atmosphère de calme grâce à la musique. Les enfants exubérants pourront ainsi se plonger dans l'ambiance adéquate.

La plupart des jeux peuvent impliquer un nombre illimité de participants. Toutefois, à l'intérieur, il est plus facile d'animer des groupes de huit enfants au maximum.

Pour ce qui est du nombre minimum de participants, plusieurs jeux sont certes possibles avec un seul enfant, mais les activités seront généralement plus amusantes si elles se déroulent dans un cercle élargi.

Les enfants ont besoin d'un espace de jeu dans lequel ils peuvent s'amuser comme bon leur semble, mais aussi faire de nouvelles expériences. Parfois, il sera nécessaire que les parents ou éducateurs jouent avec eux en se montrant ouverts aux idées originales. C'est dans ce contexte qu'un enfant pourra se percevoir dans sa globalité et évoluer en apprenant à avoir confiance en lui.

L'objectif de cet ouvrage est de fournir un maximum de jeux qui, non seulement, procureront beaucoup de plaisir aux enfants, mais qui feront aussi appel à leurs cinq sens et favoriseront donc leur développement.

HEIKE BAUM

PRINTEMPS

par les pieds et que vous en remplissez vos poumons avant de l'expirer par la bouche.

Levez-vous lentement en observant comment certaines parties du corps se détachent du sol, alors que d'autres s'appuient davantage sur celui-ci. Après avoir posé les pieds à terre, respirez profondément et saluez le jour avec un grand cri.

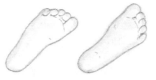

Bonjour, il est l'heure de se lever !

Ce petit exercice de relaxation permettra aux enfants de prendre conscience des étapes du lever et d'apprendre à sentir leur corps. Énoncez lentement les différentes phases et demandez aux enfants ce qu'ils ressentent en passant en revue toutes les parties du corps. La durée du jeu sera fonction de la capacité de concentration des enfants.

Enlevez vos chaussures et vos chaussettes et étendez-vous confortablement sur le sol. Essayez maintenant de sentir quelles sont les parties du corps en contact avec lui.

Commencez par la tête et concentrez toute votre attention sur l'endroit où elle repose. Que ressentez-vous : une sensation agréable ou désagréable ? Passez au reste du corps, une partie après l'autre, jusqu'au moment où vous arriverez aux talons. Respirez ensuite profondément en imaginant que vous aspirez de l'air

Le solo des plantes de pied

Les pieds sont particulièrement sensibles, car ils sont le siège de nombreuses terminaisons nerveuses. Pour s'en rendre compte, il suffit de voir combien de gens sont chatouilleux à cet endroit. Voilà pourquoi la stimulation des pieds procure une sensation de bien-être dans l'ensemble du corps. Les jeux suivants sont consacrés au massage des pieds ainsi qu'à des exercices d'équilibre et donc de renforcement de la musculature de la voûte plantaire.

Posez une corde sur le sol et donnez-lui la forme d'une grande fleur. En vous concentrant bien, marchez pieds nus le long de la corde sans vous en écarter. Vous constaterez ainsi que certaines parties de la plante du pied sont plus sensibles que d'autres. Vous pourrez essayer progressivement de marcher sur la corde, de sauter au-dessus de celle-ci aussi vite que possible ou de marcher à reculons en gardant les yeux fermés.

Promenade printanière

Quand le printemps arrive, les enfants peuvent enfin se livrer à leurs activités favorites : gambader, courir et sauter. Quelles sont les parties du corps sollicitées par ces exercices ? Et quels sont les différents types de marche ? Comment se déplace-t-on avec une lourde charge sur les épaules ? Comment évolue une danseuse ?

Ôtez vos chaussures et essayez de marcher de différentes manières : sur la pointe des pieds, en déroulant le pied du talon jusqu'aux orteils et inversement, uniquement sur le bord extérieur ou sur le bord intérieur, en marchant puis en courant sur la pointe des pieds. Y a-t-il d'autres possibilités ? Pour chaque démarche nouvelle, soyez attentifs au fonctionnement des différentes parties du corps. Intéressez-vous particulièrement aux orteils, aux genoux et aux hanches, mais n'oubliez pas non plus les bras et les épaules.

Montrez vos orteils !

Après avoir été enfermés pendant des mois dans de grosses chaussures d'hiver, les orteils ont hâte de se dérouiller. Demandez aux enfants de saisir, avec leurs orteils, divers objets. Peuvent-ils décrire leurs sensations et expliquer en quoi c'est différent d'une prise en main ?

Essayez de prendre plusieurs objets avec les orteils et de les lever assez haut pour pouvoir les saisir de la main. Le premier qui attrapera tous les objets et les posera avec la main dans son panier sera déclaré vainqueur.

Variante

Placez le panier à deux mètres de distance et tentez de l'atteindre avec l'objet entre les orteils en sautant à cloche-pied. Lorsque vous y êtes, prenez l'objet dans la main et posez-le dans le panier.

PROMENADE PRINTANIÈRE

ÂGE :
à partir de 4 ans

PARTICIPANTS :
nombre indifférent

MATÉRIEL :
aucun

MONTREZ VOS ORTEILS !

ÂGE :
à partir de 4 ans

PARTICIPANTS :
nombre indifférent

MATÉRIEL :
un panier ou un récipient similaire par enfant, divers objets qui peuvent être saisis avec les orteils, par exemple, une bille, un crayon, un cube, un morceau de tissu (les mêmes objets pour tous)

BALLON VOLE !

Ce jeu provoque lui aussi des mouvements inhabituels auxquels participe l'ensemble du corps. Organisez-le de préférence à l'extérieur ou dans un endroit où chaque enfant dispose d'un espace suffisant.

Lancez votre ballon en l'air et évitez qu'il retombe sur le sol en lui donnant des petites poussées du coude, du genou ou du pied. Vous ne pouvez pas utiliser les mains, mais l'un d'entre vous peut-être parviendra à relancer le ballon avec le ventre ou le derrière.

LA VALSE DES BALLONS

ÂGE :
à partir de 4 ans

PARTICIPANTS :
6 enfants minimum

MATÉRIEL :
3 ballons de baudruche

LA VALSE DES BALLONS

L'important dans ce jeu n'est pas la rapidité, mais le travail d'équipe. L'exercice demande aussi de bons muscles dans les jambes et le ventre, car il n'est pas facile de garder les jambes allongées à une certaine distance du sol pendant un moment.

Asseyez-vous sur le sol ou sur des chaises en formant un petit cercle et tendez vos jambes vers le centre. Vous aurez auparavant ôté vos chaussures pour éprouver plus de sensations dans les pieds.

Un enfant pose le ballon sur ses pieds et tente de le passer au suivant. Plusieurs techniques sont possibles : vous pouvez donner une petite poussée au ballon, le coincer entre les pieds ou le faire rouler prudemment jusqu'à votre voisin. Attention, vous ne pouvez pas utiliser les mains. Lorsque vous serez un peu entraînés, vous pourrez introduire un deuxième ballon dans le cercle. Parviendra-t-il à rattraper le premier ? Si c'est le cas, essayez avec trois ballons.

BALLON VOLE !

ÂGE :
à partir de 4 ans

PARTICIPANTS :
2 enfants minimum

MATÉRIEL :
un ballon de baudruche
par enfant

LE BALLET DES LIVRES

Dans bien des pays, on porte de lourdes charges sur la tête. Mais nous n'avons pour notre part jamais vraiment appris à nous tenir en équilibre. Grâce à ce jeu, les enfants comprendront mieux comment marcher en se tenant bien droits, ce qui est très important pour le développement de la colonne vertébrale.

Cherchez-vous un partenaire et décidez ensemble qui sera l'équilibriste et qui sera son assistant. Définissez ensuite un parcours sur lequel s'opposeront deux équipes. Si vous êtes plus de quatre, vous jouerez à tour de rôle et les spectateurs veilleront à ce que les règles soient respectées.

Un membre de chaque équipe pose le livre sur sa tête et essaie d'atteindre la fin du parcours sans le laisser tomber et sans utiliser les mains. Seul son assistant peut toucher le livre de la main dès qu'il est en déséquilibre.

Quand vous vous serez un peu exercés, vous pourrez augmenter la difficulté en plaçant, sur le parcours, des obstacles qu'il faudra enjamber ou contourner. Au tour suivant, les joueurs referont le parcours en inversant les rôles.

COMBIEN DE MAINS ?

Après les pieds et les jambes, ce sont maintenant les mains qui se mettent au travail. Elles peuvent saisir énergiquement, mais aussi toucher doucement. Il n'est pas si facile de sentir leur contact.

Désignez un meneur de jeu qui actionne le magnétophone ou la radio et qui donne les consignes. Déplacez-vous maintenant dans la pièce au rythme de la musique jusqu'à ce que le meneur de jeu vous arrête en criant le nom d'un enfant. Ce dernier reste sur place et ferme les yeux, tandis que les autres posent leurs mains calmement et avec une légère pression sur son dos, son ventre, son visage ou ses jambes avant de s'immobiliser.

L'enfant choisi se concentre sur son corps et tente de sentir le nombre de mains posées sur lui. Ce n'est pas simple, car certains de ses camarades le touchent d'une seule main. Lorsqu'il a deviné le nombre de mains, l'enfant peut ouvrir les yeux et voit s'il ne s'est pas trompé. Le meneur de jeu relance la musique et désigne un autre joueur au bout de quelques minutes.

LE BALLET DES LIVRES

ÂGE :
à partir de 4 ans

PARTICIPANTS :
4 enfants minimum

MATÉRIEL :
un livre (pas trop grand) par équipe de 2 enfants ; éventuellement, une caisse, une chaise, etc. en guise d'obstacle

COMBIEN DE MAINS ?

ÂGE :
à partir de 6 ans

PARTICIPANTS :
5 enfants minimum

MATÉRIEL :
un magnétophone ou une radio

Un mode de transport insolite

Il s'agit maintenant de régler des problèmes de transport particulièrement délicats. Les talents d'acrobate seront les bienvenus et les rires fuseront sans tarder.

**UN MODE
DE TRANSPORT
INSOLITE**

ÂGE :
à partir de 6 ans

PARTICIPANTS :
4 enfants minimum
et un adulte ou
un enfant plus âgé
meneur de jeu

MATÉRIEL :
du polystyrène, de
la mousse synthétique
ou des coussins plats
(un coussin par
équipe de 2 enfants),
des ciseaux ou
un cutter, 2 seaux ou
2 cartons,
pour les fiches
éventuelles :
un crayon, du papier ou
du carton rigide

Pour chaque équipe de deux enfants, découpez un carré (environ 15 cm de côté) dans du polystyrène ou de la mousse synthétique et placez tous les carrés sur la ligne de départ.

Si vous avez suffisamment de coussins plats de cette taille, vous pouvez naturellement aussi les employer. Placez la ligne d'arrivée à environ trois mètres de distance et posez-y les seaux ou cartons. Constituez maintenant des équipes de deux joueurs. Chacune d'entre elles sera opposée à une autre pendant une phase du jeu. Au signal de départ donné par le meneur de jeu, elles tenteront d'amener un carré jusqu'au carton. Mais attention, ce n'est pas si simple. En effet, le meneur de jeu précise aussi les parties du corps avec lesquelles les carrés doivent être transportés. Peut-être la consigne sera-t-elle « postérieur et coude » ou « tête et main » ou encore « épaule et épaule ». Cette fois, les choses se corsent et trois mètres peuvent paraître bien longs. L'équipe qui l'emportera sera bien entendu celle qui atteindra le but la première avec son carré.

Variante

Il peut aussi être amusant de dessiner les « consignes » sur des petites cartes qui seront ensuite mélangées et mises en tas. Chaque équipe en tirera une et devra alors transporter le carré jusqu'à l'arrivée en respectant le dessin.

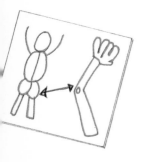

Rimes printanières

*Un petit coup de vent, hop là !
Et le printemps fut là*

*Parfum de fraîcheur,
Bonheur des couleurs*

*Un petit chant d'hirondelle
et la saison se fit belle*

*Parfum de primeur
Bonheur du flâneur*

AUTOPORTRAIT

Les enfants s'intéressent beaucoup à leur corps. Ils aiment être pesés, mesurés et ne se lassent pas de regarder des photos d'eux-mêmes. Un autoportrait grandeur nature a donc toutes les chances de leur plaire.

Allongez-vous, dos contre le sol, sur une grande feuille de papier et restez immobile pendant qu'un autre enfant dessine les contours de votre corps.

Ensuite, levez-vous prudemment pour ne pas abîmer le papier et examinez la silhouette dessinée : est-elle plus grande que vous ne le pensiez ou, au contraire, beaucoup plus petite ?

Vous pouvez maintenant la colorier à votre guise en réfléchissant à ce que les différentes parties de votre corps sont capables de faire : les yeux peuvent voir, la bouche peut chanter et parler, les mains peuvent lacer des chaus-

sures ou peut-être même déjà écrire, les pieds peuvent jouer au football.

Si vous le souhaitez, vous pouvez orner l'intérieur de « votre corps » de petits dessins pour indiquer les gestes que les mains et les pieds parviennent déjà à accomplir. Lorsque tout est terminé, découpez votre autoportrait.

AUTOPORTRAIT

ÂGE :
à partir de 5 ans

PARTICIPANTS :
2 enfants minimum

MATÉRIEL :
une grande feuille de papier (par exemple, une bande de papier peint), des gros crayons de couleur, des crayons à la cire ou des gouaches, des ciseaux

ODEURS PRINTANIÈRES

Ça sent le printemps ! Chacun se réjouit de voir venir la fin tant attendue de la saison froide. Mais quels sont exactement ces parfums qui nous chatouillent les narines ? Ce jeu permettra aux nez les plus fins de faire leurs preuves.

Préparation du jeu

1. Numérotez les verres ou les pots de yaourt.

2. Pour chacun des participants, préparez une feuille de papier à son nom comportant les chiffres de 1 à 10.

3. Le meneur de jeu place dans chaque verre quelques herbes, fleurs ou tampons de coton hydrophile imbibés de parfum ou d'huile aromatique dont il dresse la liste.

4. Les verres sont recouverts de papier sulfurisé maintenu par un élastique.

5. Peu avant le début du jeu, percez quelques trous dans le papier avec une épingle.

Déroulement du jeu

Chaque joueur hume le parfum de tous les verres et tente de reconnaître les différentes odeurs. Pour les enfants non exercés, il pourrait être utile de préciser auparavant l'éventail des senteurs choisies.

Lorsque vous pensez avoir reconnu une odeur, indiquez votre réponse sur la feuille ou demandez au meneur de jeu de le faire à votre place. Quand tous les verres ont été passés en revue, le meneur de jeu fournit les solutions. Alors, qui a le nez le plus fin ?

SENTEURS ET COULEURS

Les odeurs, les couleurs ou les sons peuvent être perçus non seulement par l'intelligence, mais aussi par les sens. Encouragez les enfants à découvrir la sensation qu'une odeur éveille en eux et à la traduire en couleurs. Vous obtiendrez le meilleur résultat en proposant aux enfants de grandes feuilles de papier, des gouaches et des gros pinceaux ou des bâtonnets de couleur à la cire qui leur permettront de remplir de grandes surfaces. Les feutres ou les crayons de couleur les inciteraient plutôt à représenter les choses de manière concrète.

Cherchez un parfum qui vous plaît tout particulièrement. Quelle senteur dégage-t-il exactement ? Qu'éprouvez-vous lorsqu'il vous chatouille les narines ? Est-ce une sensation de bien-être ? Cette odeur vous donne-t-elle de l'énergie ? Ou, au contraire, vous «ramollit-elle» ? Est-ce une odeur lourde et sombre, ou légère et claire ? Quelles couleurs vous viennent à l'esprit quand vous la respirez ? Pourquoi ne pas essayer de représenter cette odeur par un grand dessin très coloré ?

UN NEZ POUR CHANTER

Mon merle a perdu son bec
Comment pourra-t-il chanter
mon merle
Comment pourra-t-il chanter ?

Mon merle a perdu sa langue
sa langue, son bec
Comment pourra-t-il chanter
mon merle
Comment pourra-t-il chanter ?

Mon merle a perdu son nez
son nez, sa langue, son bec
Comment pourra-t-il chanter
mon merle
Comment pourra-t-il chanter ?

Mon merle a perdu un œil
un œil, son nez, sa langue, son bec
Comment pourra-t-il chanter
mon merle
Comment pourra-t-il chanter ?

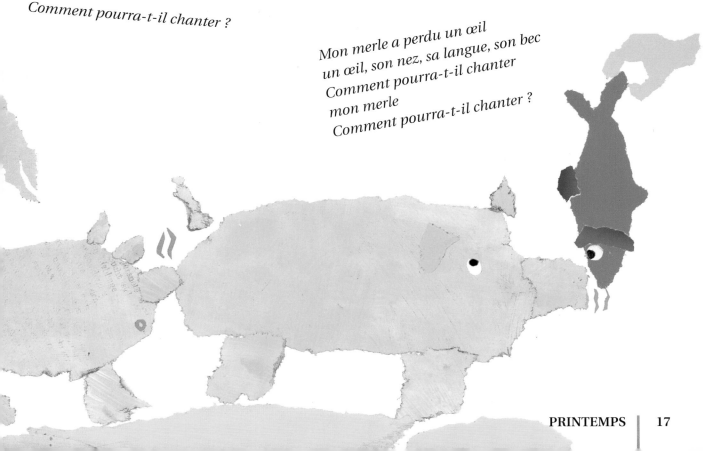

*À QUI SONT
CES YEUX ?*

ÂGE :
à partir de 5 ans

PARTICIPANTS :
5 enfants minimum

MATÉRIEL :
un drap avec un petit
trou à la hauteur
des yeux des enfants,
éventuellement
une corde et
des pinces à linge

À QUI SONT CES YEUX ?

On dit souvent que les yeux sont « le miroir de l'âme ». Ils peuvent exprimer la joie et le bonheur ou la colère et la tristesse. Nous regardons spontanément notre vis-à-vis dans les yeux, mais pourrions-nous reconnaître quelqu'un uniquement à ses yeux ? Essayez et vous verrez que ce n'est pas si facile.

Fixez un drap usagé à une corde ou à une tringle après y avoir fait un petit trou. Il faut que le drap touche le sol et que vous puissiez regarder sans difficulté par l'ouverture.

Décidez maintenant qui sera le premier à deviner. L'enfant choisi prend place d'un côté du drap et tous les autres, du côté opposé. Ceux-ci s'approchent alors du drap à tour de rôle et se placent devant le trou en veillant à ce qu'un seul œil soit visible et à ce que les sourcils ou le bout du nez ne les trahissent pas.

L'enfant installé de l'autre côté devra deviner à qui appartient cet œil, ce qui est loin d'être simple. La difficulté se corse encore quand il s'agit d'identifier quelqu'un uniquement d'après son nez ou, pire encore, d'après une oreille. Lorsque l'enfant aura reconnu trois de ses camarades, les rôles seront inversés.

RALLYE-PHOTO

Ce jeu réserve une surprise désagréable à ceux qui croient bien connaître les arbres, les arbustes et l'environnement qui les entourent. Profitez d'une belle journée de printemps et photographiez des objets tout à fait banals dans le voisinage. Vous serez étonné de voir combien les enfants, même les plus grands, ont du mal à reconnaître ces objets et l'endroit exact où ils se situent.

Préparation du jeu

1. Distribuez cinq photos prises autour de chez vous à chaque équipe de deux ou trois enfants. Les équipes reçoivent des photos différentes pour ne pas se gêner mutuellement dans leurs recherches.

2. Le meneur de jeu a caché une pièce de puzzle à chacun des endroits que doit identifier une équipe. Le puzzle est très facile à réaliser. Il suffit de coller, à l'intention de chaque équipe, une photo ou une carte postale en couleur sur du carton rigide et que l'on découpe en cinq morceaux.

Déroulement du jeu

Chaque équipe reçoit la première photo qui représente par exemple un détail du parc, la fenêtre d'une maison ou un réverbère. Les photos sont bien entendu différentes selon les équipes. Les enfants se lancent à la recherche de l'endroit photographié et reviennent au point de départ avec la pièce de puzzle trouvée. Ils reçoivent alors la photo suivante et procèdent de la même manière. La première équipe qui a reconstitué son puzzle a gagné.

RALLYE-PHOTO

ÂGE :
à partir de 5 ans

PARTICIPANTS :
4 enfants minimum
et un adulte pour
la préparation

MATÉRIEL :
plusieurs photos
des alentours
(5 par équipe)

Variante

Désignez un meneur de jeu qui pose trois pots opaques sur la table, ouverture vers le bas. Au vu de tous, il place une pièce de monnaie sous un des pots avant de déplacer ceux-ci. Vous devez essayer de ne pas quitter du regard le pot qui contient la pièce. Quand les pots sont remis l'un à côté de l'autre, chacun d'entre vous touche du doigt le pot qui, à son avis, contient la pièce.

Le meneur de jeu retourne les pots et donne une allumette aux enfants qui ont bien deviné. La victoire revient au joueur qui a obtenu le plus d'allumettes après un certain nombre de manches.

OUVRONS L'ŒIL ET LE BON !

ÂGE :
à partir de 4 ans

PARTICIPANTS :
2 enfants minimum et un adulte meneur de jeu

MATÉRIEL :
10 à 15 objets différents, un plateau
pour la variante :
3 pots de yaourt opaques, une pièce de monnaie, des allumettes

QUI EST QUI ?

ÂGE :
à partir de 4 ans

PARTICIPANTS :
4 enfants minimum

MATÉRIEL :
plusieurs fines couvertures ou des grands morceaux de tissu

OUVRONS L'ŒIL ET LE BON !

Ces exercices de concentration conviennent particulièrement bien pour une fête d'anniversaire, car ils permettent de ramener au calme des enfants excités. Pour le premier jeu, mélangez à quelques objets de la vie quotidienne un certain nombre de choses qui ne sont pas familières aux enfants et réfléchissez ensemble à leur fonction.

Observez en silence plusieurs objets posés sur un plateau. Quels sont ceux que vous ne connaissez pas et à quoi peuvent-ils bien servir ? Essayez d'en mémoriser un maximum.

Le plateau est ensuite recouvert d'un morceau de tissu, et vous devez citer à tour de rôle les objets que vous avez vus. Le jeu se termine lorsque vous avez mentionné tous les objets dont vous vous souvenez.

Votre mémoire était-elle fidèle ? Le meneur de jeu vous indique si vous avez pensé à tout.

QUI EST QUI ?

Utilisez des étoffes aussi fines que possible afin que des détails puissent être perçus au toucher.

Désignez un enfant qui quitte la pièce. Asseyez-vous l'un près de l'autre en vous serrant le plus possible. Recouvrez-vous ensuite entièrement de couvertures ou de pièces de tissu. Attention, aucun de vos vêtements ne doit vous trahir.

Appelez maintenant l'enfant qui attendait à l'extérieur. Parviendra-t-il à identifier l'un d'entre vous uniquement par le toucher ? Vous observerez bien entendu un silence absolu pour éviter qu'il reconnaisse vos voix.

Le premier enfant identifié quittera alors la pièce. Les autres changeront de place et la deuxième manche pourra débuter.

LE CARTON-MYSTÈRE

Qui a le plus de sensibilité dans les doigts ? Maintenant, ce sont les mains qui doivent montrer ce dont elles sont capables sans le secours des yeux. Parlez avec les enfants de la difficulté de se passer d'un des cinq sens.

Préparation du jeu

Placez sur la table une boîte en carton stable et assez grande, ouverture vers le haut. Sur un des côtés, découpez deux trous à même hauteur. Ils doivent être suffisamment grands pour qu'un enfant puisse y passer la main. Le meneur de jeu remplit la boîte de divers objets avant de la fermer.

Déroulement du jeu

Chacun à votre tour, introduisez les deux mains dans les trous de la boîte pour palper les objets qui y sont cachés. Le jeu sera particulièrement amusant s'il faut reconnaître des substances comme de la farine, du sucre, du sable ou de l'argile. On peut corser la difficulté en demandant aux enfants d'identifier des figures géométriques en carton, par exemple un cercle, un carré ou un triangle.

À CHAQUE BOCAL SON COUVERCLE

Avez-vous rassemblé des bocaux pour vos confitures de fraises pendant l'hiver ? Si c'est le cas, il vous faudra bien entendu trouver les couvercles adéquats. Interrogez-vous avec les enfants sur la raison pour laquelle certaines parties de notre corps sont en double. Qu'arrivons-nous à faire correctement avec une seule main et pour quel type d'activités avons-nous absolument besoin des deux ? Nos deux mains, pieds ou oreilles remplissent-ils les mêmes fonctions ?

Réalisez le même genre de boîte que dans le jeu précédent, mais cette fois en découpant les trous face à face, de façon à ce que deux enfants se trouvent en vis-à-vis lorsqu'ils puiseront dans la boîte en carton.

Placez dans celle-ci plusieurs bocaux et couvercles non assemblés. Chaque enfant choisit maintenant un partenaire qui passera la main dans l'ouverture en même temps que lui. Le but du jeu est de revisser le couvercle adéquat sur chaque bocal. Le mieux est de décider auparavant qui tiendra les bocaux et qui essaiera de trouver les couvercles correspondants.

Comme les deux partenaires ne peuvent introduire qu'une seule main dans la boîte, ils devront harmoniser soigneusement leurs efforts pour parvenir à un résultat. En jouant, vous constaterez très rapidement combien nous sommes habitués à nous servir de nos deux mains.

LE CARTON-MYSTÈRE

ÂGE :
à partir de 5 ans

PARTICIPANTS :
2 enfants minimum
et un adulte meneur
de jeu

MATÉRIEL :
un carton d'une
certaine taille (environ
60 x 40 x 40 cm),
un cutter, environ
20 objets de consistance
ou de forme différente,
des matériaux comme
du sable, de la farine et
du sucre dans
des gobelets ou
des verres,
des figures
géométriques en carton
(environ 10 cm)

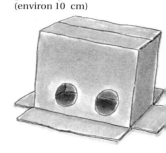

À CHAQUE BOCAL SON COUVERCLE

ÂGE :
à partir de 6 ans

PARTICIPANTS :
2 enfants minimum

MATÉRIEL :
une boîte en carton
assez grande (environ
60 x 40 x 40 cm),
environ 10 bocaux
différents avec
leur couvercle

BOÎTES À MALICES

Quand il est question de contraires comme dur et doux ou rugueux et lisse, chacun crée ses propres associations. Ainsi, la notion de douceur évoque pour l'un un coussin et, pour l'autre, un ours en peluche contre lequel il aime se blottir. Il est difficile de décrire un couple de notions opposées sans faire ses propres associations. Les boîtes à malices permettront aux enfants de mieux percevoir les contrastes de façon ludique.

Rincez soigneusement toutes les boîtes de conserve. Collez une bande de crêpe sur le bord supérieur, car celui-ci est souvent tranchant et pourrait vous blesser. Découpez le tissu en morceaux suffisamment grands pour recouvrir l'ouverture des différentes boîtes.

Le meneur de jeu remplit maintenant les boîtes de différents objets. Il les place de manière telle que les contraires soient toujours face à face, par exemple l'eau chaude et les cubes de glace, le sable sec et l'argile humide, les cubes en bois et les billes, les clous et les déchets de caoutchouc mousse. Posez les morceaux de tissu sur les boîtes, attachez-les avec la ficelle et découpez prudemment une fente assez large pour qu'une main puisse s'y introduire. Ensuite, passez simultanément les mains dans deux boîtes placées l'une en face de l'autre. Observez un silence complet afin de mieux vous concentrer sur vos sensations.

Lorsque chacun a palpé le contenu de toutes les boîtes, échangez vos impressions : quel était l'objet le plus agréable ou le plus désagréable au toucher ? Avez-vous reconnu immédiatement le contenu de chaque boîte ? Pouvez-vous décrire avec précision les contrastes ?

DÉLICE AUX CERISES

Avant d'entamer la préparation de cette délicieuse glace, les enfants peuvent se livrer ensemble à un petit jeu de vocabulaire : qui peut décrire de la manière la plus précise le goût qu'aura ce mets ?

1. Placez les cerises avec leur jus dans une casserole de taille moyenne et faites-les chauffer.

2. Versez la fécule dans une tasse et délayez-la avec quatre cuillerées à soupe d'eau froide.

3. Dès que les cerises commencent à bouillonner, ôtez-les du feu et ajoutez-y la fécule en mélangeant bien. Replacez la casserole sur le feu et faites bouillir de nouveau les cerises en mélangeant constamment. Le jus doit s'épaissir. Vous pouvez maintenant enlever la casserole de la cuisinière et laisser son contenu refroidir un peu.

4. Répartissez la glace dans les coupes et ajoutez-y les cerises chaudes. Bon appétit !

PETITS DOIGTS, NE VOUS TROMPEZ PAS !

Vous pouvez jouer à ce jeu à l'intérieur après avoir préparé le matériel nécessaire, mais vous pouvez aussi l'organiser de manière très spontanée dans la nature. Il vous suffit de chercher quelques objets appropriés dans la forêt ou dans une prairie, par exemple des cailloux, des pommes de pin ou des branches. Le jeu peut alors commencer.

Asseyez-vous en cercle et gardez les yeux fermés. Le meneur de jeu donne à chacun un objet qu'il peut palper à son aise avant de le transmettre à son voisin de droite. Vous tâterez ainsi, l'un après l'autre, tous les objets choisis par le meneur de jeu.

Quand vous recevez un objet que vous pensez avoir déjà touché précédemment, gardez-le. Lorsque chacun a tous les objets .en main, ouvrez les yeux et comparez ce que vous voyez avec ce que vous avez senti auparavant. Pensez-vous que les creux, les trous et les bosses étaient si grands ou si petits ? Avez-vous ressenti une impression qui ne correspond pas du tout à l'apparence de l'objet ?

BON COURAGE, LES ARTISTES !

Il n'est pas toujours simple de réaliser des choses ensemble, et surtout pas de dessiner. Voilà une belle partie de plaisir en perspective pour les artistes, mais aussi pour les spectateurs. Ceux-ci ne se contenteront pas d'admirer l'œuvre collective, ils tenteront également de reconnaître l'objet dessiné.

Comme dans le jeu « À chaque bocal son couvercle » (page 21), découpez sur les deux faces opposées de la boîte en carton un trou assez grand pour qu'une main puisse s'y glisser facilement. La boîte est placée, ouverture en bas, sur une feuille de papier à dessin sur laquelle se trouve aussi un crayon. Personne ne peut regarder à l'intérieur du carton.

Les deux premiers joueurs se placent en vis-à-vis, debout ou assis, et introduisent une main dans la boîte placée entre eux. Le meneur de jeu leur murmure le nom d'un objet qu'ils doivent dessiner avec un seul crayon. Les joueurs déterminent où est le haut et où est le bas du dessin, prennent le crayon ensemble et tentent de tracer l'objet sans se parler. Pour ne pas trop compliquer la tâche des joueurs, il convient de choisir des objets simples tels qu'un arbre ou une maison.

Quand le dessin est fini, les autres enfants soulèvent la boîte et tentent de deviner ce qui est représenté sur la feuille. Il peut être tout aussi amusant que l'un d'entre vous fasse seul un dessin à l'intérieur de la boîte et que les autres essaient d'identifier l'objet représenté. Le premier qui trouve la solution peut faire le dessin suivant.

PETITS DOIGTS, NE VOUS TROMPEZ PAS !

ÂGE :
à partir de 4 ans

PARTICIPANTS :
2 enfants minimum et un adulte meneur de jeu

MATÉRIEL :
différents objets recueillis dans la nature, par exemple des cailloux, des bouts de bois, des coquillages, etc.

BON COURAGE, LES ARTISTES !

ÂGE :
à partir de 6 ans

PARTICIPANTS :
4 enfants minimum et un adulte meneur de jeu

MATÉRIEL :
une boîte en carton de ± 20 cm de hauteur ayant une base correspondant environ au format d'une feuille A4, du papier, un crayon

UNE TOUR
EN AVEUGLE

ÂGE :
à partir de 4 ans

PARTICIPANTS :
2 enfants minimum

MATÉRIEL :
un grand nombre de
cubes, un petit panier,
un bandeau

UNE TOUR EN AVEUGLE

Tous nos sens sont coordonnés et se viennent mutuellement en aide quand il s'agit d'accomplir des tâches difficiles. Construire une tour avec des cubes est à la portée de tous, même des plus petits. Mais qui parviendra à le faire les yeux fermés?

Un enfant se met à genoux devant le panier de cubes. Bandez-lui les yeux. L'enfant essaie alors de construire une tour aussi haute que possible avec les cubes. Les autres comptent un à un les cubes qu'il empile avant que la tour s'effondre. Le cas échéant, un autre joueur tente sa chance. Qui parviendra à bâtir la plus haute tour?

Déplacez-vous dans la pièce en frappant dans les mains et en essayant de trouver un rythme commun et une même intensité sonore. Quand vous y êtes parvenus, modifiez l'intensité du bruit et, un peu plus tard, le rythme. Vous pouvez maintenant frapper des pieds tous ensemble sans perdre la cadence avec les mains.

UN RYTHME
IRRÉSISTIBLE

ÂGE :
à partir de 4 ans

PARTICIPANTS :
4 enfants minimum

MATÉRIEL :
aucun

UN RYTHME IRRÉSISTIBLE

Ce jeu mettra de l'animation dans toute réunion d'enfants. Plus le nombre de participants est élevé, plus le jeu sera difficile, mais plus le plaisir sera grand. Ce type d'activité est particulièrement intéressant pour donner aux enfants le sentiment d'appartenir à un groupe, par exemple parmi leurs camarades de jeu habituels, au jardin d'enfants ou dans un club sportif.

VIVE LA MUSIQUE !

Le printemps annonce le retour des fêtes et, parfois même, des fanfares. Ce jeu porte sur les bruits qui nous aident à apprécier une distance : plus ils sont intenses, plus ils nous paraissent proches ; plus ils sont faibles, plus ils nous semblent lointains.

Le meneur de jeu raconte l'histoire d'une fanfare qui nous arrive de très loin, joue pour nous pendant quelques instants, puis s'éloigne de nouveau. Chantez ensemble la chanson « Je suis un artiste » et essayez de reproduire l'arrivée et le départ de la fanfare en changeant d'intensité sonore.

VIVE LA MUSIQUE !

ÂGE :
à partir de 4 ans

PARTICIPANTS :
2 enfants minimum
et un adulte narrateur

MATÉRIEL :
aucun

Je suis un artiste...

De la grosse caisse : boum la la boum la la la…
…

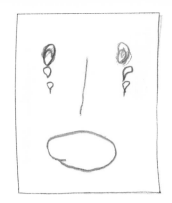

Jean qui rit,
Jean qui pleure

JEAN QUI RIT,
JEAN QUI PLEURE

ÂGE :
à partir de 5 ans

PARTICIPANTS :
4 enfants minimum
et un adulte meneur
de jeu

MATÉRIEL :
4 feuilles de papier,
des crayons

Avril est un mois versatile. Notre humeur aussi est souvent changeante. Peut-être y a-t-il eu une violente colère et des paroles méchantes ou même des larmes dans le groupe. Dans ce cas, tentez d'exprimer avec les enfants divers états d'âme et discutez avec eux de ce qui les fâche, les rend tristes ou les met de bonne humeur.

Dessinez sur chaque feuille un visage exprimant une émotion différente : un visage rieur et un autre en pleurs, un visage content et un autre fâché. Une fois les dessins terminés, affichez-les dans différents coins de la pièce.

Placez-vous maintenant tout près du visage fâché et tentez d'exprimer sa colère par votre corps. Que font nos pieds quand nous sommes fâchés ? Peut-être frappent-ils énergiquement le sol ? Quant à nos bras, les croisons-nous d'un air buté ? Quand le meneur de jeu crie « contraire », précipitez-vous vers le visage content. Pendant ce temps, modifiez lentement votre mimique pour arriver au dessin avec la mine réjouie. Lorsque vous entendez « au suivant », dirigez-vous vers une autre paire de visages.

À la fin du jeu, chacun d'entre vous peut, s'il le souhaite, choisir un visage précis et raconter aux autres ce qu'il fait quand il est dans cet état d'esprit.

LE JEU DES PAIRES

Pour ce jeu, prenez de préférence des objets qui ne sont pas familiers aux enfants. Ils verront combien il est difficile, en regardant simplement une chose, d'imaginer l'impression qu'elle produit au toucher.

Avant de commencer, le meneur de jeu a découpé dans le carton des petits carrés d'environ 5 cm de côté en collant à chaque fois le même objet sur deux d'entre eux. Vous pouvez, par exemple, utiliser les matériaux suivants : du papier émeri fin, du velours, un morceau de plastique à bulles, des allumettes collées l'une à côté de l'autre, des chutes de papier peint épais ou de la moquette, etc.

Le meneur de jeu introduit une des cartes de chaque paire dans le sac en tissu et place les autres, face cachée, sur la table. Le premier joueur retourne une de ces cartes, touche l'objet collé, puis introduit la main dans le sac. Si, en palpant les différents objets, il parvient à trouver la carte correspondante dans un délai de 30 secondes, il marque un point et remet les deux cartes à l'endroit où il les a prises. Un autre joueur tente alors sa chance.

Le vainqueur est l'enfant qui a obtenu le plus de points après six tours.

LA MAIN TENDUE

Pourquoi pas ce petit jeu que jouaient déjà les enfants dans la Grèce antique ?

Un enfant se tient devant un mur et tend sa main droite derrière lui. Les joueurs, l'un après l'autre, viennent frapper dans sa main. L'enfant doit reconnaître ses camarades sans se retourner. Le joueur reconnu prend la place de l'"aveugle".

LE JEU DES PAIRES

ÂGE :
à partir de 4 ans

PARTICIPANTS :
2 enfants minimum
et un adulte pour
la préparation et
la conduite du jeu

MATÉRIEL :
une feuille de carton
rigide, des ciseaux,
de la colle, 15 objets
différents d'une texture
intéressante,
une montre munie
d'une trotteuse

LA MAIN TENDUE

ÂGE :
à partir de 5 ans

PARTICIPANTS :
4 enfants minimum

MATÉRIEL :
aucun

UN CONCERT PAS
COMME
LES AUTRES

ÂGE :
à partir de 4 ans

PARTICIPANTS :
4 enfants minimum

MATÉRIEL :
aucun

UN CONCERT PAS COMME LES AUTRES

Taper dans les mains, rien de plus simple. Mais la diversité des bruits qui peuvent être produits avec le corps en surprendra plus d'un. Il suffit d'un peu d'imagination et le concert peut débuter.

Formez un cercle. Un enfant commence à émettre un bruit avec son corps, les autres écoutent attentivement, s'imprègnent du rythme et s'adaptent à l'intensité sonore, puis essaient d'imiter ce bruit. À tour de rôle, chacun produira ensuite un bruit différent. Vous pouvez par exemple taper dans les mains, claquer des doigts ou frapper sur votre ventre. Peut-être parviendrez-vous à représenter une scène concrète que les autres devront identifier, par exemple un train qui passe ou un cheval au galop.

SUIVEZ
LE RYTHME !

ÂGE :
à partir de 4 ans

PARTICIPANTS :
4 enfants minimum

MATÉRIEL :
aucun

SUIVEZ LE RYTHME !

Ce jeu ressemble au célèbre « téléphone arabe », mais la transmission ne se fait pas sans bruit, bien au contraire !

Formez un cercle. L'un d'entre vous commence à battre des mains ou des pieds selon un rythme choisi. L'enfant placé à sa droite reprend ce rythme en faisant les mêmes gestes. Le suivant fait de même, etc. jusqu'au moment où tout le monde participe au concert. C'est ensuite au tour d'un autre de proposer un rythme.

TENDEZ L'OREILLE !

Lors d'une prochaine promenade, emportez un magnétophone et soyez attentif aux bruits intéressants que vous pourriez enregistrer. Les enfants seront ébahis de découvrir la diversité des bruits qui nous entourent.

Faites passer la cassette avec les différents bruits. Écoutez-les bien et essayez d'en retenir un maximum. Après une vingtaine de bruits, éteignez l'appareil et citez à tour de rôle les bruits que vous avez identifiés.

ÉCHO, ES-TU LÀ ?

Certains enfants n'ont peut-être jamais eu le plaisir de jouer avec un véritable écho. Aussi, expliquez-leur avant le début du jeu ce qu'est l'écho pour qu'ils sachent à quoi s'en tenir.

Demandez à un enfant du groupe de se placer à environ trois mètres de distance des autres en leur tournant le dos et d'entonner quelques notes d'une mélodie. En vous concertant du regard, vous déciderez ensemble qui fera l'écho. Le joueur désigné répétera la petite mélodie, mais en chantant beaucoup moins fort. Le premier chanteur reconnaîtra-t-il la voix qui lui fait écho ? Si c'est le cas, le faiseur d'écho prendra alors sa place.

TENDEZ L'OREILLE !

ÂGE :
à partir de 4 ans

PARTICIPANTS :
un enfant ou plus

MATÉRIEL :
un magnétophone
avec micro, une cassette
audio

ÉCHO, ES-TU LÀ?

ÂGE :
à partir de 6 ans

PARTICIPANTS :
4 enfants minimum

MATÉRIEL :
aucun

LA CHASSE AU LIÈVRE

Dans ce jeu aussi, l'important est d'écouter. Expliquez aux enfants que les chiens et les chauves-souris, par exemple, ont une si mauvaise vue qu'ils ne peuvent pratiquement compter que sur leurs oreilles pour s'orienter.

Dispersez-vous dans la pièce avec les yeux fermés ou bandés. L'un d'entre vous est le chasseur qui tente d'attraper les lièvres. Pour que chacun puisse s'orienter en aveugle en se servant uniquement de ses oreilles, accompagnez tous vos pas d'un bruit.

Dans un premier temps, seul le chasseur peut se déplacer : il fait sept pas. Ensuite, c'est au tour des lièvres de faire cinq pas en criant : « Chasseur, chasseur, où sont les lièvres ? » Lorsque le chasseur parvient à attraper un lièvre, il change de rôle avec sa « proie ».

LE JEU DU VENTRILOQUE

Après des poursuites animées, ce jeu permettra aux enfants de se reposer un peu en écoutant les voix vibrer dans le ventre de leur voisin.

Asseyez-vous par terre l'un derrière l'autre puis laissez vous aller en arrière de manière à ce que chacun ait la tête posée sur le ventre de son voisin. Pendant quelques instants, concentrez-vous sur les bruits que vous entendez dans ce ventre. Puis, un premier enfant commence à prononcer doucement de courtes syllabes qui seront reproduites par tous les autres. Les rires ne tarderont sans doute pas à fuser et vous aurez beaucoup de mal à garder la tête sur le ventre de votre voisin.

Tournez, crécelles !

Si les enfants ne se sont pas encore assez défoulés, proposez-leur un nouveau jeu de poursuite. À défaut de crécelle, un trousseau de clés fera l'affaire.

Déplacez-vous prudemment dans la pièce en fermant les yeux. Seul un enfant peut garder les yeux ouverts et agiter la crécelle. Les autres essaient de l'attraper en s'orientant au bruit. Le premier qui y arrive reçoit à son tour la crécelle.

Si vous êtes nombreux à jouer, placez-vous en cercle. Désignez le porteur de crécelle et cinq enfants qui le pourchasseront à l'intérieur de ce cercle. Au tour suivant, c'est celui qui l'aura attrapé qui portera la crécelle et cinq autres enfants prendront place au centre du cercle.

Un mot part en voyage

Le petit mot « tu » part en voyage. Pour qu'il ne se sente pas trop seul, les enfants l'accompagnent en battant des mains et des pieds. Jusqu'où le « tu » ira-t-il dans son turbulent voyage ?

Asseyez-vous en cercle. Le plus âgé des enfants se tourne vers son voisin de droite ou de gauche et envoie en voyage le petit mot « tu » qui passera de l'un à l'autre. Ensuite, un deuxième « tu » est lancé dans l'autre direction et accompagné d'un battement de pieds sur le sol. Un troisième « tu » s'en va à son tour avec un bref battement de mains. Chacun doit essayer d'envoyer dans le bon sens le « tu » qu'il reçoit en produisant le bruit adéquat.

TOURNEZ, CRÉCELLES

ÂGE :
à partir de 5 ans

PARTICIPANTS :
6 enfants minimum

MATÉRIEL :
en guise de crécelle :
un pot de yaourt rempli de haricots secs et muni de son couvercle

UN MOT PART EN VOYAGE

ÂGE :
à partir de 5 ans

PARTICIPANTS :
4 enfants minimum

MATÉRIEL :
aucun

*LE CHARMEUR
DE SERPENT*

ÂGE :
à partir de 5 ans

PARTICIPANTS :
4 enfants minimum

MATÉRIEL :
une casserole,
une cuiller en bois

LE CHARMEUR DE SERPENT

Contrairement aux véritables serpents qui n'entendent pas les bruits, mais les sentent, le nôtre traduit par des mouvements un rythme entendu.

Placez-vous l'un derrière l'autre en tenant celui qui vous précède par la taille. L'un d'entre vous reste à l'écart : c'est le charmeur de serpent qui tient à la main une casserole et une cuiller en bois. Il bat un rythme sur la casserole pendant quelques instants. Écoutez-le et faites un saut en avant en suivant le rythme donné et en ondulant comme un serpent. Ce n'est pas si simple, car il ne faut pas que le corps du serpent se détache. Après trois sauts, le charmeur de serpent se place au bout de la queue et c'est le premier enfant qui reprend son rôle.

*LE TÉLÉGRAMME
SONORE*

ÂGE :
à partir de 5 ans

PARTICIPANTS :
4 enfants minimum
(nombre pair) et
un adulte meneur
de jeu

MATÉRIEL :
un grand morceau
de tissu ou un drap

LE TÉLÉGRAMME SONORE

Vous pouvez jouer à ce jeu avec ou sans drap en plaçant les équipes face à face. Toutefois, il est plus amusant que les enfants se concentrent uniquement sur le bruit.

Tendez un drap au milieu de la pièce. Un même nombre d'enfants s'installe de chaque côté.

Le meneur de jeu murmure une consigne de bruit à l'oreille de chaque enfant, par exemple « frapper des pieds », « battre des mains », « siffler », « muser ». Chaque bruit est attribué à un seul joueur par équipe. Le meneur de jeu désigne maintenant un enfant qui peut émettre un télégramme sonore avec le bruit reçu. Quel est l'enfant de l'autre équipe qui reconnaîtra « son » bruit et répondra au télégramme ?

TOMBE, TOMBE LA PLUIE !

Le printemps est l'époque des giboulées. Et si la pluie tombait aussi dans la maison ? Regardez tout d'abord par la fenêtre, décrivez la pluie avec les enfants et réfléchissez ensemble aux diverses formes de précipitations et à ce qui les distingue.

Asseyez-vous autour de la table et commencez par reproduire, en pianotant avec les doigts, une légère bruine qui se transforme lentement en une violente averse. Voilà maintenant la grêle et le tonnerre. Finalement, la pluie se calme peu à peu et le soleil fait sa réapparition.

Essayez d'accompagner l'histoire avec des bruits adéquats, en tapant tout d'abord du bout des doigts, puis avec le poing ou même toute la main. À la fin, vous saluerez le retour du soleil avec un joyeux « hourra ! ».

LA COURSE DES SONS

Pour ce jeu, l'idéal serait de produire les sons sur de véritables instruments. Cependant, vous pouvez aussi utiliser quelques casseroles de tailles différentes qui émettent des bruits distincts.

Chaque enfant se choisit un son. Il ne peut se déplacer que lorsque le meneur de jeu émet ce son précis. Dès que chacun sera bien habitué à son propre son, le meneur de jeu pourra compliquer les choses en faisant se succéder rapidement plusieurs sons, voire en les produisant simultanément.

BRAVO, MAESTRO !

Un orchestre compte beaucoup d'instruments. Ramenez-en quelques-uns aux enfants ou montrez-leur des photos. Expliquez-leur comment on en joue. Peut-être trouverez-vous aussi une musique pour illustrer vos explications. Plusieurs enfants jouent certainement déjà d'un instrument et pourront ainsi en parler.

Asseyez-vous en cercle à l'exception d'un enfant qui tourne le dos au groupe pendant que vous désignez le chef d'orchestre. La tâche de celui-ci consiste à « jouer » devant vous de divers instruments, sans cesse différents, par des gestes et des mimiques que vous tenterez de reproduire.

L'enfant qui se trouvait hors du cercle revient maintenant vers le groupe et doit observer attentivement tous les musiciens pendant le concert afin de découvrir qui « mène le bal ».

TOMBE, TOMBE LA PLUIE !

ÂGE :
à partir de 4 ans

PARTICIPANTS :
2 enfants minimum et un adulte ou un enfant plus âgé meneur de jeu

MATÉRIEL :
aucun

LA COURSE DES SONS

ÂGE :
à partir de 4 ans

PARTICIPANTS :
2 enfants minimum et un adulte meneur de jeu

MATÉRIEL :
un xylophone, un jeu de cloches ou une flûte à bec, le cas échéant, des casseroles de tailles différentes

BRAVO, MAESTRO !

ÂGE :
à partir de 5 ans

PARTICIPANTS :
6 enfants minimum

MATÉRIEL :
aucun

ÂGE :
à partir de 4 ans

PARTICIPANTS :
2 enfants minimum et
un adulte narrateur

MATÉRIEL :
aucun

LE ZOO EN ÉMOI

Les enfants adorent les histoires amusantes où ils ont un rôle à jouer. Considérez ce récit comme un canevas sur lequel vous grefferez vos propres idées.

Installez-vous en cercle sur des chaises et écoutez l'histoire de la souris et de son grand ami l'éléphant. Le récit sera beaucoup plus vivant et plus amusant si vous l'accompagnez de mouvements et de bruits. Regardez donc attentivement ce que fait le narrateur.

Le jour venait à peine de se lever et la plupart des animaux du zoo dormaient encore (ronflements, gestes d'animaux endormis). Seul l'éléphant gris aux grandes oreilles (formez des oreilles avec les mains) avançait lourdement (brrrrhh ; levez-vous et frappez le sol des pieds) vers la petite mare de son enclos (flic flac !) pour y prendre un bain (mouvements de natation). Son amie la souris, (piiip, piiip ; imitez le trottinement de la souris avec les pieds) s'y trouvait déjà. Elle avait été réveillée par les clochettes des campanules (ding, ding, ding) qui poussent sur la prairie réservée aux flamants roses (tenez-vous sur une jambe). Elle avait fait son premier tour du zoo (trottinement) et rapportait à l'éléphant (brrrrhh) la grande nouvelle : un couple de cigognes (imitez le cri de la cigogne, dessinez le bec avec les bras) s'était installé dans un nid (formez un nid avec les mains) déserté depuis longtemps.

La souris et l'éléphant décidèrent de se mettre en route (trottinement ; pas lourd ; alternativement, trottinement et pas lourd) pour souhaiter la bienvenue à leurs nouveaux voisins, comme c'est la coutume au zoo. Ils saluèrent tous les animaux qu'ils rencontrèrent : «Bonjour, monsieur lion (montrez la crinière avec les mains). Bonjour, gentille girafe (tendez les bras en l'air). Bonjour, madame pingouin (dandinez-vous avec les bras le long du corps).» Tous les animaux leur répondirent amicalement. Enfin, ils arrivèrent au nid des cigognes où ils souhaitèrent poliment la bienvenue à ses occupants : « Bonjour, madame cigogne (inclinez-vous). Bonjour, monsieur cigogne (inclinez-vous encore). Nous sommes ravis de voir le nid de nouveau occupé. » Mais, quel ne fut pas l'effroi de la souris et de l'éléphant (ohhhh ; tremblement) lorsque la cigogne, au lieu de répondre à leur salut, se précipita hors du nid, vola à toute allure (battements d'aile) vers la souris et faillit l'attraper de son énorme bec (formez le bec avec les bras).

Terrorisée, la souris rassembla ses dernières forces pour courir s'abriter dans l'oreille de l'éléphant (dessinez l'oreille avec les mains). Fou de rage, l'éléphant barrit aussi fort qu'il put (brrrrhh), puis il se souvint combien il avait eu lui-même du mal à s'habituer au zoo. Peut-être fallait-il tout d'abord apprendre à la cigogne à se comporter correctement. Il se plaça sous le nid et se mit à expliquer la vie quotidienne des animaux du zoo (brrrrhh). Il parla des enfants qui venaient tous les après-midi visiter le zoo en gambadant et en riant (ah, ah, ah ; sautillements) et des animaux qui vivaient là : du paon si fier qui savait faire la roue (formez une roue avec les mains), du crocodile avec son énorme gueule (dessinez-la avec les bras), du couple de lions (rugissez fort) avec son lionceau (rugissez plus faiblement). « Ici, tous les animaux sont amis, il faut que vous le sachiez », dit l'éléphant pour conclure son long discours, que monsieur et madame cigogne (montrez le bec avec les bras) avaient écouté attentivement. À partir de ce moment-là, la souris n'eut plus rien à craindre. Toutefois, elle continua longtemps à faire un grand détour (décrivez-le avec les bras) pour éviter le nid des cigognes. Et chaque fois que quelque chose lui faisait peur, elle se réfugiait aussitôt dans l'oreille de son ami l'éléphant.

Peinture musicale

Peu de choses touchent l'homme aussi directement que la musique. Et cela vaut aussi bien pour les enfants que pour les adultes. Encouragez les enfants à découvrir les sensations qu'une mélodie éveille en eux et à les exprimer sur papier.

Cherchez un endroit où vous serez à l'aise pour peindre et écoutez de la musique. La mélodie vous plaît-elle ? Vous rend-elle gais ou tristes ? Après l'avoir écoutée pendant quelques instants, pensez aux couleurs et aux formes que vous inspire la mélodie et commencez à peindre. Peut-être pourrez-vous réaliser, à trois ou quatre, une grande affiche sans échanger un mot.

L'orchestre des animaux

Ce jeu risque d'être bruyant, car le petit oiseau et le chaton voudront aussi être de la partie. Les enfants un peu plus âgés pourront jouer le rôle de chef d'orchestre.

Choisissez chacun un animal dont vous imiterez le cri, par exemple un chien, un chat ou une vache. Désignez maintenant votre chef d'orchestre et placez-vous en demi-cercle de façon à bien le voir. Pour que ses consignes soient bien comprises de tous, il devra préciser, avant le début du concert, les gestes par lesquels il vous demandera de « jouer » plus fort ou moins fort, plus lentement ou plus vite.

En avant, la musique ! Vous pouvez maintenant aboyer, miauler ou mugir sans perdre le chef des yeux. Après un certain temps, vous choisirez de nouveaux animaux, de nouveaux bruits et un autre chef d'orchestre.

PEINTURE MUSICALE

ÂGE :
à partir de 5 ans

PARTICIPANTS :
un enfant ou plus

MATÉRIEL :
de la peinture à l'eau, de l'aquarelle ou de la craie, des pinceaux, du papier, un air de musique

L'ORCHESTRE DES ANIMAUX

ÂGE :
à partir de 4 ans

PARTICIPANTS :
6 enfants minimum et un adulte ou un enfant plus âgé comme chef d'orchestre

MATÉRIEL :
aucun

*LA BATAILLE DES
PISTOLETS À EAU*

ÂGE :
à partir de 4 ans

PARTICIPANTS :
6 enfants minimum

MATÉRIEL :
2 grands seaux remplis
d'eau, un petit récipient
(par exemple un pot de
yaourt), un pistolet à
eau pour chaque enfant

À VOS SEAUX !

ÂGE :
à partir de 5 ans

PARTICIPANTS :
6 enfants minimum et
un adulte ou un enfant
plus âgé meneur de jeu

MATÉRIEL :
2 seaux de plage
de même taille,
un verre gradué par
équipe

LA BATAILLE DES PISTOLETS À EAU

Qu'importe d'être mouillé par cette chaude journée d'été ! Plus les participants seront nombreux, plus le jeu sera animé et amusant. Et quand le moment sera venu de se sécher au soleil, pourquoi ne pas déguster une bonne glace ?

Formez deux équipes de taille égale. Chaque équipe reçoit un grand seau plein d'eau, chaque enfant un pistolet à eau et un pot de yaourt vide.

Essayez maintenant d'arroser le plus possible l'équipe adverse tout en restant vous-mêmes relativement secs. Tentez aussi de renverser le seau de vos adversaires tout en protégeant soigneusement le vôtre. Le but du jeu est d'asperger vos adversaires au maximum pour qu'ils soient beaucoup plus mouillés que vous à la fin de la partie.

Le jeu se termine quand la réserve d'eau d'une des deux équipes est épuisée. Il s'agira alors de voir dans quel groupe les enfants sont le plus mouillés.

À VOS SEAUX !

Dans cette course de relais, l'important n'est pas la rapidité, mais l'habileté. Qui parviendra à transporter un seau rempli d'eau à ras bord sans être mouillé et sans en renverser ?

Formez deux équipes de taille égale. Dans chacune d'entre elles, les enfants se placent l'un derrière l'autre. Le premier joueur des deux files reçoit un petit seau rempli d'eau à ras bord ou un autre récipient qui ne soit pas trop grand.

Il s'agit maintenant de faire passer le seau d'avant en arrière sans perdre d'eau. Lorsque le seau est arrivé au dernier enfant de la file, celui-ci prend place à l'avant avec son seau, et la deuxième phase du jeu commence.

Avant chaque nouveau parcours, le meneur de jeu indique comment les seaux doivent être transmis d'un enfant à l'autre, par exemple sur le côté, entre les jambes ou même par-dessus la tête. Après le dixième tour, chaque équipe verse l'eau qui lui reste dans un verre gradué. Celle qui en a le plus l'emportera.

À LA DOUCHE !

À la fin de ce jeu, les enfants seront tout à fait trempés, mais quelle importance, puisque le soleil aura vite fait de les sécher !

Formez un cercle et tournez-vous tous ensemble dans une direction donnée. À côté du meneur de jeu se trouvent trois seaux remplis d'eau qu'il vous passera l'un après l'autre de manière différente, vers l'avant ou vers l'arrière. Prenez chaque seau et faites-le passer à votre voisin en reproduisant les gestes du meneur de jeu, par exemple en glissant le seau entre les jambes, en le passant par-dessus la tête ou en utilisant une seule main.

Lorsque le meneur de jeu récupère l'un des seaux, il imagine de nouvelles difficultés pour la suite du transport. Bientôt, la confusion sera totale et la douche garantie.

UN PARCOURS SAVONNEUX

Au cours de ce jeu, veillez à ce que seuls deux ou trois enfants glissent en même temps. Vous éviterez ainsi des collisions fâcheuses. L'idéal est de placer le plastique sur une pelouse pour que les enfants ne se blessent pas en tombant.

Préparation du jeu

Posez le plastique sur le sol. Pour obtenir de l'eau savonneuse, mélangez, dans un petit seau, un volume de savon liquide dans deux volumes d'eau. Versez ce mélange sur le plastique et répartissez-le uniformément avec un balai.

Idées de jeu

Ôtez vos chaussures, vos chaussettes et, de préférence aussi, votre jupe ou votre pantalon, avant de vous lancer dans une première glissade. N'est-ce pas une belle patinoire ? Quand vous aurez acquis un peu d'assurance, vous pourrez, par exemple, faire une course avec un autre enfant en transportant deux petits seaux remplis d'eau d'un bout à l'autre du plastique. Qui parviendra à contourner ou à enjamber des obstacles (boîtes en carton, etc), sans tomber et sans renverser d'eau ?

À LA DOUCHE !

ÂGE :
à partir de 4 ans

PARTICIPANTS :
6 enfants minimum
et un adulte meneur
de jeu

MATÉRIEL :
3 seaux de plage

UN PARCOURS
SAVONNEUX

ÂGE :
à partir de 4 ans

PARTICIPANTS :
nombre indifférent

MATÉRIEL :
un grand plastique d'au
moins 3 m de long
(une bâche ou des sacs-
poubelles découpés,
mis bout à bout et
collés),
du savon liquide,
un petit seau pour
délayer le savon,
un bâton ou une cuiller
en bois pour mélanger,
un balai pour répartir
l'eau savonneuse,
des boîtes en carton,
etc. en guise
d'obstacles.

AU SUIVANT !

Aux pieds, maintenant, de montrer ce qu'ils sont capables de faire. Les adultes peuvent également participer au jeu et faire la preuve de leur habileté.

Mettez-vous pieds nus et asseyez-vous en cercle. Le premier enfant saisit prudemment entre les pieds un gobelet en plastique rempli d'eau et tente de le passer à son voisin sans rien renverser.

Quand le gobelet est arrivé sans encombre un peu plus loin, il est suivi d'une bouteille en plastique et de pots de yaourt de différentes tailles. Pourquoi ne pas organiser une course poursuite entre les récipients ?

POMPIERS À PIED

Autrefois, les pompiers ne possédaient ni voitures rapides ni longs tuyaux. Pour éteindre un incendie, ils devaient faire circuler des seaux de main en main. Dans ce jeu-ci, l'eau sera transportée de pied en pied !

Asseyez-vous pieds nus l'un à côté de l'autre en tenant entre les pieds un pot de yaourt vide. Un seau rempli d'eau est posé au début de la file et un autre, vide, à la fin. Le premier enfant du groupe plonge son pot dans le seau pour le remplir, le saisit entre les pieds et essaie de verser l'eau dans le pot du suivant sans l'aide des mains. L'eau est ainsi transportée jusqu'au dernier enfant qui la verse dans le seau.

Si vous êtes plus de six, vous pouvez constituer deux équipes et vérifier à la fin laquelle a gaspillé le moins d'eau.

AU FEU, LES POMPIERS…

Ce jeu amusera également les adultes, mais il n'est pas du tout certain qu'ils se montreront les meilleurs pompiers. Jouez de préférence dans un endroit abrité du vent pour pouvoir allumer plus facilement les bougies.

Posez les bougies l'une à côté de l'autre sur une table et demandez à un adulte de les allumer. Puis, placez-vous à environ deux mètres de la table et essayez d'éteindre les bougies avec un pistolet à eau. Les adultes se tiendront deux pas derrière vous, car leurs bras sont plus longs.

Si vous avez envie d'organiser un petit concours de pompiers, constituez deux équipes chargées d'éteindre respectivement quatre bougies. Laquelle parviendra à éteindre le feu la première ?

UN JOYEUX NAUFRAGE

Combien de cailloux le bateau peut-il supporter sans sombrer ? Il s'agit d'être particulièrement attentif et de bien évaluer le poids des cailloux. Le jeu sera encore plus amusant si les enfants se trouvent eux aussi dans la piscine.

Une barque (écuelle en bois ou morceau de polystyrène) flotte sur l'eau et attend sa cargaison : des cailloux que vous vous serez répartis au préalable en nombre égal. À tour de rôle, chacun place un caillou dans la barque jusqu'à ce qu'elle coule. L'enfant qui est à l'origine du naufrage hérite de toute la cargaison. Le premier qui aura épuisé toute sa réserve de cailloux l'emportera.

AU FEU, LES POMPIERS…

ÂGE :
à partir de 4 ans

PARTICIPANTS :
2 enfants minimum
et un adulte meneur
de jeu

MATÉRIEL :
au moins 2 grosses
bougies, des allumettes,
un pistolet à eau par
enfant, un seau

UN JOYEUX NAUFRAGE

ÂGE :
à partir de 4 ans

PARTICIPANTS :
2 enfants minimum

MATÉRIEL :
des grands récipients
en plastique (bassine
ou piscine gonflable),
une petite écuelle en
bois ou un morceau de
polystyrène
beaucoup de petits
cailloux

**ALERTE
À LA BOMBE**

ÂGE :
à partir de 4 ans

PARTICIPANTS :
2 enfants minimum

MATÉRIEL :
des bombes à eau,
un seau

ALERTE À LA BOMBE

Pour réaliser des bombes à eau, prenez de petits ballons de baudruche vendus dans les magasins de jouets et de farces et attrapes. Pour les remplir, introduisez l'embout du robinet dans le col du ballon, remplissez celui-ci d'une faible quantité d'eau, puis fermez-le par un nœud. Le mieux est de préparer au préalable suffisamment de bombes à eau pour que les enfants ne doivent pas attendre trop longtemps.

SOLEIL ET AVERSE

ÂGE :
à partir de 4 ans

PARTICIPANTS :
6 enfants minimum

MATÉRIEL :
des pierres pour
délimiter le terrain
10 bouteilles en
plastique remplies
d'eau, une corde, un
verre gradué par équipe

Placez prudemment les bombes à eau dans un seau et mettez-vous en cercle de manière à ce que seuls les bouts de vos doigts se touchent lorsque vous étendez les bras.

Un enfant reçoit le seau. Il lance la première bombe à son voisin qui l'envoie à son tour au suivant. Faites de même avec les autres bombes en veillant à ce qu'aucune d'entre elles ne tombe et n'éclate. Vous pouvez aussi vous asseoir et lancer les bombes avec les pieds. La douche sera alors garantie.

SOLEIL ET AVERSE

Une chose est certaine, tous les participants auront les pieds mouillés à la fin de ce jeu, mais quelle sera l'équipe qui possédera la plus grande réserve d'eau après cinq manches animées ?

Délimitez tout d'abord votre terrain de jeu, au moyen de pierres, de petits seaux, etc. Prévoyez une surface de 20 pas en longueur et 10 pas en largeur. Divisez le terrain en deux camps avec la corde et placez de part et d'autre de celle-ci cinq bouteilles en plastique de même taille et remplies d'eau. Désignez un meneur de jeu, constituez deux équipes de force égale et prenez place dans votre camp. Le meneur de jeu donne les consignes. S'il crie « averse », précipitez-vous dans le camp adverse et tentez d'y renverser les bouteilles d'eau. Bien entendu, vous devez, en même temps, protéger vos propres bouteilles contre les attaques de l'ennemi. Quand le meneur de jeu crie « soleil », regagnez votre camp et redressez les bouteilles avec l'eau qu'elles contiennent encore. Après cinq « averses », chaque équipe verse le contenu de ses bouteilles dans un verre gradué. L'équipe gagnante sera celle qui aura gardé le plus d'eau.

LE TENNIS DES BOMBES À EAU

Dans ce jeu, les enfants doivent faire preuve d'une adresse particulière s'ils ne veulent pas être trempés. Qui réussira le plus grand nombre de lancers sans faire éclater la bombe à eau ?

Le jeu se déroule entre deux équipes de deux enfants qui tiennent une serviette de toilette tendue entre eux. La première équipe place une bombe à eau dans sa serviette et la lance à l'autre équipe qui tente de l'attraper de la même manière. Les deux équipes se renvoient la bombe jusqu'à ce qu'elle éclate.

Variante

Si vous êtes plus de quatre, placez-vous l'un derrière l'autre par équipes de deux à environ un mètre de distance. Les deux membres de chaque équipe tiennent une serviette de toilette tendue entre eux. Essayez maintenant de lancer la bombe à l'équipe placée derrière vous avec la serviette. Lorsque vous y arrivez sans trop de difficulté, vous pouvez aussi tenter d'envoyer, en même temps, une bombe à eau d'avant en arrière et une deuxième de l'arrière vers l'avant.

LA COURSE DES SIAMOIS

Faire les choses à deux n'est pas nécessairement plus simple. Dans ce jeu, si l'entente entre les partenaires n'est pas parfaite, la chute sera inévitable et la douche garantie.

Choisissez un partenaire et liez, avec une corde placée à la hauteur de la cheville, son pied droit à votre pied gauche, ou inversement. Veillez à garder une certaine liberté de mouvement.

Ensuite, vous recevrez tous deux une bombe à eau que vous devrez transporter jusqu'à la ligne d'arrivée en franchissant un parcours d'obstacles (boîtes en carton, etc.). Peut-être parviendrez-vous à garder au moins une des deux bombes intactes.

LE TENNIS DES BOMBES À EAU

ÂGE :
à partir de 5 ans

PARTICIPANTS :
4 enfants minimum

MATÉRIEL :
des bombes à eau,
une serviette de toilette
par équipe

LA COURSE DES SIAMOIS

ÂGE :
à partir de 6 ans

PARTICIPANTS :
4 enfants minimum

MATÉRIEL :
une corde, des bombes
à eau, des chaises,
des boîtes en carton,
etc. en guise d'obstacles

MÉLI-MÉLO DE BOUE

Avant que la bataille commence et que la situation échappe progressivement à votre contrôle, interrogez-vous avec les enfants sur ce qu'est réellement la boue. Quelle impression donne-t-elle au toucher ? A-t-elle une odeur ? Que se passe-t-il lorsqu'on reste au soleil pendant un certain temps avec une main couverte de boue ?

Quand il fait vraiment chaud et qu'un tuyau d'arrosage, un lac ou même la mer se trouve à proximité, quelle joie de se livrer une véritable bataille de boue ! Si vous voulez avoir un maximum de plaisir, enfilez un maillot de bain pour ne pas devoir faire attention à vos vêtements.

Une seule règle : ne pas jeter de boue au visage des autres. Hormis cela, tout est permis. Vous pouvez vous frictionner mutuellement avec de la boue et la laisser sécher sur vous. Ou bien vous vous aspergerez copieusement l'un l'autre avant de vous nettoyer au tuyau d'arrosage.

VIVE LA GADOUE !

VIVE LA GADOUE !

ÂGE :
à partir de 4 ans

PARTICIPANTS :
4 enfants minimum

MATÉRIEL :
plusieurs grandes boîtes
de conserve ou
des plats usagés,
du sable, de la glaise ou
de l'argile humide,
2 seaux, 5 m de corde

Qui a dit que les enfants ne pouvaient pas se salir ? Les parents, bien entendu, au grand dam des intéressés qui adorent farfouiller dans la boue avec les mains. Ce jeu leur permettra d'en lancer autant qu'ils le veulent. Si vous voulez agrémenter un anniversaire d'enfant de cette sympathique activité, pensez néanmoins à le préciser sur la carte d'invitation…

Marquez avec la corde une limite que personne ne peut franchir. Placez à cet endroit un seau rempli de sable ou de glaise humide. Il s'agit maintenant de lancer cette boue dans une des boîtes situées à environ 1,5 m de distance. Celui qui l'atteint recule d'un pas et tente de nouveau sa chance. Qui réussira le plus long lancer ?

**MÉLI-MÉLO
DE BOUE**

ÂGE :
à partir de 4 ans

PARTICIPANTS :
2 enfants minimum

MATÉRIEL :
du sable ou de la glaise
humide

Si vous avez envie d'organiser un petit match, formez deux équipes. Placez plusieurs boîtes très rapprochées à environ 2 m de distance de chaque équipe. Dès le signal de départ, vous devez essayer de lancer un maximum de boue dans les boîtes. Au bout de cinq minutes, évaluez à l'aide d'un bâton ou d'une règle, la quantité de boue dans les boîtes. Quelle est l'équipe gagnante ?

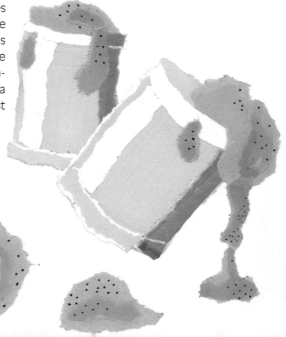

UN BEL ENSABLEMENT

Ce jeu n'est réellement amusant que sur la plage qui offre du sable propre en quantité infinie. Examinez tout d'abord avec les enfants les différentes couches de sable : où est-il sec et chaud, où est-il humide et froid ?

Cherchez une personne à enterrer : pourquoi pas maman, papa ou même mémé ? Pendant que vous pelletez énergiquement, la victime consentante peut vous décrire l'impression qu'elle ressent au contact du sable humide. Est-ce plutôt agréable ou désagréable ? Essayez d'accumuler une telle quantité de sable sur son corps qu'elle aura beaucoup de mal à s'extraire elle-même de sa prison. Vous pourriez lui dessiner une toute nouvelle silhouette avec le sable. Pourquoi pas des pieds énormes et un gros ventre ?

Celui qui n'apprécie pas d'être enterré dans le sable peut simplement se rouler tout mouillé dans le sable sec. Il ressemblera alors à un morceau de viande panée.

PEINTURE VIVANTE

Cette fois, ce n'est pas de la boue qui servira à enduire les autres, mais bien de la peinture à doigt dont les taches s'éliminent facilement au lavage. La prudence est néanmoins de mise, car certains enfants peuvent développer une allergie au contact direct de la peinture.

Vous aurez beaucoup de plaisir à vous badigeonner mutuellement de peinture. Gare aux enfants chatouilleux ! Vous pouvez soit laisser libre cours à votre imagination, soit vous mettre d'accord à l'avance sur un thème, par exemple les « indiens » ou les « animaux ». Une peau de tigre ou les peintures de guerre d'un Sioux seraient du plus bel effet. Lorsque vous aurez fini de peindre, vous pourrez organiser un spectacle de cirque, par exemple.

UN BEL ENSABLEMENT

ÂGE :
à partir de 4 ans

PARTICIPANTS :
2 enfants minimum

MATÉRIEL :
du sable

PEINTURE VIVANTE

ÂGE :
à partir de 4 ans

PARTICIPANTS :
2 enfants minimum

MATÉRIEL :
de la peinture à doigt

*TRÉSORS
DE VACANCES*

ÂGE :
à partir de 4 ans

PARTICIPANTS :
nombre indifférent

MATÉRIEL :
une boîte à chaussures
par enfant, des chutes
de papier de couleur,
de la colle

LA CHASSE AU TRÉSOR

Chaque période de vacances nous réserve des jours de mauvais temps. Si vous vous êtes montré prévoyant, il vous sera facile de proposer aux enfants un jeu passionnant de recherche et de narration pour égayer ces jours de pluie. Le mieux est de vous mettre en quête de matériel dès le début des vacances.

TRÉSORS DE VACANCES

« Trésor » — le mot seul exerce déjà une grande fascination sur tous les enfants. Île au trésor, chasse au trésor, trésor de guerre : ces termes ont un parfum d'aventure. Dès le début des vacances, bricolez une « malle » aux trésors avec les enfants. Ainsi, la recherche sera palpitante tout au long du séjour.

*LA CHASSE
AU TRÉSOR*

ÂGE :
à partir de 4 ans

PARTICIPANTS :
nombre indifférent

MATÉRIEL :
6 petites boîtes
divers objets récoltés,
par exemple
des cailloux,
des coquillages,
des branches, etc.
(un exemplaire par
enfant)

Chacun reçoit une boîte à chaussures vide. Déchirez le papier de couleur en petits bouts que vous collerez sur votre boîte et son couvercle. Placez ensuite un joli morceau de papier sur le fond de la boîte, et votre « malle » aux trésors sera prête à accueillir tous les beaux objets que vous glanerez pendant les vacances.

Préparation du jeu

Le meneur de jeu remplit six boîtes de divers objets récoltés pendant les vacances. Il peut, par exemple, placer des cailloux dans une boîte, des coquillages dans une autre, etc. en veillant à ce que chacune des boîtes contienne un nombre d'objets équivalent à celui des participants. Ensuite, il cache les boîtes.

Déroulement du jeu

Il s'agit maintenant de trouver ces boîtes aux trésors. Quand vous en avez découvert une, prenez un des trésors qu'elle contient en essayant de ne pas être vu des autres. Vous ne leur révélerez naturellement pas le lieu où vous l'avez trouvée. Lorsque chacun est en possession de ses trésors, asseyez-vous tous ensemble et tentez de localiser l'endroit d'où ils viennent. Peut-être l'un d'entre vous aura-t-il une petite histoire à raconter à propos d'un des trésors.

DEVINETTES DE VACANCES

Les vacances à l'étranger ou dans des endroits nouveaux ne doivent pas se résumer pour les enfants à la mer et au soleil. Elles doivent aussi leur donner une idée de la diversité des modes de vie des individus. Parlez-leur abondamment de votre lieu de destination et attirez leur attention sur ses particularités. Il s'agit ici d'observer soigneusement la vie que mènent les habitants d'un autre pays ou d'une autre région.

Le matin, convenez de ce qui retiendra plus spécialement votre intérêt au cours de cette journée de vacances. Vous pourriez par exemple chercher des personnes exerçant un métier qui vous est inconnu. Vous pourriez aussi concentrer votre attention sur des rues et des places portant le nom de personnages célèbres et tenter de découvrir ensemble leur importance pour la ville ou pour le pays. Ou encore vous attarder sur les menus des restaurants et noter les plats que vous n'avez encore jamais mangés.

Le soir, vous confronterez tous ensemble les éléments qui vous ont frappés durant la journée. Ce sera particulièrement amusant si vous présentez les choses sous forme de devinettes. L'un d'entre vous pourrait, par exemple, mimer un métier. Vous pourriez également essayer de découvrir le nom d'un personnage célèbre en posant des questions auxquelles l'enfant interrogé ne répondrait que par oui ou par non.

QUI A UN ŒIL DE LYNX ?

Au cours de ce jeu, les enfants ne seront pas les seuls à constater le nombre de détails qui nous échappent, même quand nous sommes très attentifs. Lorsque les enfants ont compris les règles du jeu, ils peuvent aussi poser les questions eux-mêmes. Ce jeu peut se dérouler aussi bien à la ville qu'à la campagne.

Au cours d'une journée, on rencontre une foule de choses particulières et insolites. On observe ce qui se passe autour de soi, mais est-on réellement attentif ? Voilà l'occasion d'en faire la preuve.

Durant une promenade, le meneur de jeu, qui a été désigné auparavant, note plusieurs détails intéressants sur lesquels il interrogera les enfants par la suite : de quel matériau est fait le socle de la statue qu'ils viennent de voir ? La statue est-elle tournée vers la mer ou vers la ville ? Quelle est la couleur du parasol du marchand de glaces ?

Les questions doivent porter sur des choses que les enfants ont

tous vues et qui sont vérifiables. Si vous jouez à ce jeu tous les jours, vous aiguiserez votre sens de l'observation au cours de vos vacances.

DEVINETTES DE VACANCES

ÂGE :
à partir de 6 ans

PARTICIPANTS :
2 enfants minimum

MATÉRIEL :
un carnet et un crayon pour les enfants plus âgés

QUI A UN ŒIL DE LYNX ?

ÂGE :
à partir de 6 ans

PARTICIPANTS :
2 enfants minimum et un adulte ou un enfant plus âgé meneur de jeu

MATÉRIEL :
aucun

TRÉSOR, MONTRE-TOI

ÂGE :
à partir de 4 ans
PARTICIPANTS
2 enfants minimum
MATÉRIEL : divers objets
recueillis pendant
les vacances,
un bandeau
pour les yeux

*GASTRONOMES
EN CULOTTES
COURTES*

ÂGE :
à partir de 4 ans

PARTICIPANTS :
2 enfants minimum
et un adulte meneur de jeu

MATÉRIEL :
divers aliments, un couteau,
des bols, un morceau de tissu

TRÉSOR, MONTRE-TOI !

À la fin des vacances, vous pouvez ouvrir les « malles » aux trésors (voir page 46). Recourez de nouveau aux devinettes pour passer en revue les jours de vacances. Qu'est-ce qui a particulièrement impressionné les enfants ? Qu'ont-ils observé de surprenant ? Quels sont les trésors qu'ils n'auraient pas pu trouver à la maison ?

Allez chercher vos « malles » aux trésors et asseyez-vous tous ensemble. L'un d'entre vous a les yeux bandés. Les autres lui tendent leurs trésors à tour de rôle. L'enfant tente de les identifier en les palpant. S'il ne découvre pas un objet, il cédera sa place au camarade qui le lui a donné.

GASTRONOMES EN CULOTTES COURTES

On est loin ici des touristes qui refusent de goûter la cuisine exotique. Quand vous partez au loin, vos papilles ont le droit de ramener, elles aussi, quelques souvenirs de voyage.

Le meneur de jeu s'est chargé de tous les préparatifs; il a découpé divers aliments en petits morceaux. Certains sont salés ou sucrés, acides ou fruités, durs ou tendres. Plus les contrastes sont grands, plus le jeu sera palpitant. À tour de rôle, vous fermerez les yeux et goûterez les mets proposés. Parviendrez-vous à les reconnaître ?

La promenade des sens

Quand on ne voit rien, on se concentre beaucoup mieux sur les odeurs et les bruits. Mais, attention : un bon guide d'aveugle doit être attentif aux obstacles et aux dangers !

Les enfants vont se promener deux par deux. L'un d'entre eux garde les yeux fermés et se concentre entièrement sur les bruits et les odeurs tandis que l'autre le guide. Lorsqu'ils rencontrent un objet particulier, le « voyant » prend la main du « non-voyant » et le lui fait toucher. Après une dizaine de minutes, les rôles seront inversés.

LA PROMENADE DES SENS

ÂGE :
à partir de 4 ans

PARTICIPANTS :
2 enfants minimum

MATÉRIEL :
aucun

Avez-vous du flair ?

Le nez profite lui aussi de vos vacances. Il renifle chaque jour des senteurs nouvelles. Mais quelle est exactement l'odeur de l'eau de mer ? Et quelle différence y a-t-il entre l'odeur du sable et celle de la mousse des forêts ?

Les yeux bandés, vous allez tenter de reconnaître diverses senteurs nouvelles. Asseyez-vous en cercle et reniflez le parfum que vous présente le meneur de jeu.

Si vous êtes nombreux, vous prendrez beaucoup de plaisir aux variantes suivantes : vous recevez tous un pot de yaourt recouvert d'un papier sulfurisé percé de quelques trous et maintenu par un élastique. Les mêmes objets odorants sont contenus à chaque fois dans deux pots différents. Parviendrez-vous à retrouver le joueur qui a reçu le même parfum que vous ?

**AVEZ-VOUS
DU FLAIR ?**

ÂGE :
à partir de 4 ans

PARTICIPANTS :
2 enfants minimum
et un adulte meneur
de jeu

MATÉRIEL :
divers objets odorants
ou des récipients
contenant
des « parfums »,
des bandeaux pour
les yeux, des pots de
yaourt vides, du papier
sulfurisé, des élastiques

POMODORO CIAO !

Une pomme verte
Une pomme rouge
Une pomme d'or
C'est toi qui es dehors !

À LA SOUPE

À la soupe soupe soupe
Au bouillon ion ion
Zeille zeille zeille
La soupe à l'oseille
C'est pour les demoiselles
Zon zon zon
La soupe à l'oignon
C'est pour les garçons !

SPAGHETTIS À LA SAUCE NAPOLITAINE

1. Faites bouillir de l'eau salée dans une casserole après y avoir ajouté un peu d'huile.

2. Plongez ensuite des spaghettis dans l'eau bouillante en réduisant le feu.

3. Après quelques instants, les spaghettis auront ramolli et vous pourrez les faire entrer entièrement dans la casserole. Laissez-les cuire pendant 7 à 10 minutes en remuant de temps en temps.

4. Pendant ce temps, versez le contenu de la boîte de tomates pelées dans une poêle en les passant au chinois et écrasez les morceaux restés dans le chinois avec une cuiller en bois ou un pilon.

5. Ajoutez des herbes séchées et faites chauffer le tout à feu doux.

6. Ensuite, salez, poivrez et ajoutez la crème fraîche ainsi que le fromage râpé.

7. Dès que les pâtes sont cuites, posez une passoire dans l'évier et égouttez-les. Faites couler un peu d'eau froide dessus pour éviter qu'elles collent.

8. Ajoutez les spaghettis à la sauce contenue dans la poêle et mélangez le tout.

9. Enfin, hachez finement le persil et parsemez-en les spaghettis. Saupoudrez le plat d'un peu de fromage râpé.

SPAGHETTIS À LA SAUCE NAPOLITAINE

ÂGE :
à partir de 4 ans
(l'aide d'un adulte est indispensable en raison de l'eau bouillante)

INGRÉDIENTS POUR 4 PERSONNES :
2 l d'eau, une cuiller à café de sel, 250 g de spaghettis, une petite boîte de tomates pelées, une cuillerée à café de mélange d'herbes italiennes séchées (par exemple : basilic, origan, thym, romarin), 1/2 pot de crème fraîche, une cuillerée à soupe d'emmenthal râpé, du sel, du poivre, un bouquet de persil

MATÉRIEL :
une casserole, une cuiller en bois, un ouvre-boîtes, un chinois, une cuiller à soupe, une poêle, une passoire, une planche à découper, un couteau de cuisine

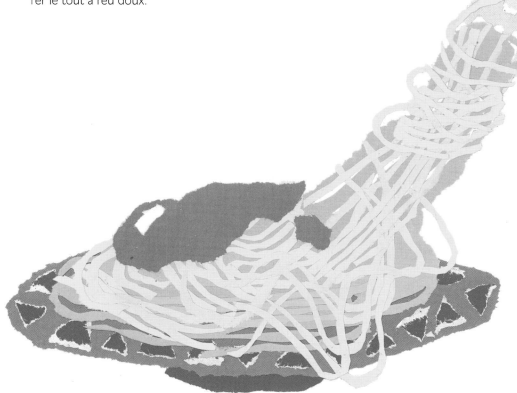

ÉCRIVAINS EN HERBE

Chaque enfant possède non seulement une bonne capacité d'écoute, mais aussi le don d'inventer des histoires. Dans ce jeu qui se joue par écrit, les enfants devront faire preuve de beaucoup d'imagination pour pouvoir poursuivre le récit des autres.

Formez des équipes de deux enfants dont au moins un sait écrire. Chaque équipe rédige le début d'une histoire de vacances sur une feuille de papier. Après cinq minutes, elle fait passer cette feuille à l'équipe suivante et reçoit elle-même l'histoire d'un autre groupe. Elle la lit, puis continue le récit. Cinq minutes plus tard, les feuilles circulent de nouveau et l'histoire se poursuit. Après une dernière interruption, chaque équipe dispose encore de cinq minutes pour trouver une fin au récit.

Enfin, chaque équipe lit son histoire. Fous rires garantis !

ASSOCIATIONS ÉCLAIR

L'important dans ce jeu est de penser et de réagir très vite. Pour que les chances soient équitablement réparties, il vaut mieux opposer des enfants du même âge.

Asseyez-vous en cercle sur des chaises. Un enfant se place au milieu et propose un premier mot, par exemple « mer ». Essayez alors de trouver très rapidement un autre mot qui ait un rapport avec celui-ci, par exemple « vagues ». Le premier qui trouve une association prend la place de l'enfant au milieu. Lorsque les termes « marée », « plage », « lune » ont été trouvés, il est possible qu'un peu de temps s'écoule avant qu'on en arrive à « soleil ». Quand plus aucune association ne vous vient à l'esprit, vous pouvez souffler un peu avant de vous attaquer au mot suivant.

LE MOT DÉFENDU

Bien entendu, ce jeu sera particulièrement amusant si vous choisissez un mot défendu qu'il est très difficile d'éviter dans un contexte précis : comment peut-on, par exemple, parler d'un moment passé à la piscine sans mentionner le mot « eau » ?

Asseyez-vous en cercle et commencez à raconter ensemble une histoire dans laquelle un mot convenu ne peut pas apparaître. L'enfant qui a la parole tient un ballon en main. S'il n'a plus rien à dire ou si le mot interdit lui échappe, il fait tout simplement rouler le ballon vers le suivant. Un gage est attribué chaque fois que le mot défendu est prononcé. Vous déciderez à la fin du jeu de la forme que prendront les différents gages.

Vous pouvez aussi distribuer avant le jeu cinq allumettes à chaque enfant. Lorsque l'un d'entre eux prononce le mot interdit, il doit remettre une de ses allumettes. Les deux premiers qui ont perdu toutes leurs allumettes doivent préparer le petit déjeuner du lendemain.

Variante pour les champions

Ce n'est plus un mot précis qui est interdit, mais tous les mots commençant par une lettre donnée.

UNE HISTOIRE VÉCUE

Cette fois, l'histoire n'est pas seulement racontée, elle est aussi jouée. Le résultat n'est pas une pièce de théâtre, mais une scène statique dans laquelle tous les enfants ont un rôle.

Vous êtes assis en demi-cercle devant une scène imaginaire. Vous avez devant vous divers objets. Le premier enfant qui a une idée se dirige vers la scène pour y incarner un personnage. Il peut se servir à cet effet de n'importe quel objet et l'intégrer dans l'histoire. La scène est statique, c'est-à-dire que chacun précise qui il est et reste immobile dans la position qu'il a choisie.

EXEMPLE : Le premier enfant « monte » sur la scène pour y représenter le chien Youki. Il se met à quatre pattes et commence à renifler le sol à gauche et à droite. Un deuxième enfant le rejoint avec une branche, se place devant lui et dit : « Je suis l'arbre sur lequel tu te soulages. » Le troisième enfant n'apprécie pas ce spectacle et, agitant un morceau de tissu, court sur la scène en incarnant la tempête qui ramène Youki à la maison.

LE MOT DÉFENDU

ÂGE :
à partir de 6 ans

PARTICIPANTS :
4 enfants minimum

MATÉRIEL :
un ballon,
éventuellement
des allumettes,
des pièces de monnaie,
etc.

UNE HISTOIRE VÉCUE

ÂGE :
à partir de 6 ans

PARTICIPANTS :
4 enfants minimum

MATÉRIEL :
différents objets tels
que des chutes de tissu,
des branches,
des cailloux

SOUFFLE, VENT D'ÉTÉ, SOUFFLE !

ÂGE :
à partir de 4 ans

PARTICIPANTS :
8 enfants minimum

DURÉE :
environ 2 heures

MATÉRIEL :
du carton rigide bleu clair, de la peinture à l'eau bleue, des pinceaux, une grosse corde (d'environ 3 m), du papier crépon de différentes couleurs, du sable, du riz ou des lentilles, un grand drap, des feutres, de la colle, des ciseaux, du coton hydrophile, 15 pots de yaourt vides, 3 essences de fleur

MATÉRIEL PAR ENFANT :
3 ballons de baudruche, un sac en tissu (6 x 10 cm), de la ficelle (1,20 m)

CARTES D'INVITATION

MATÉRIEL :
du carton bleu clair, du coton hydrophile, de la peinture à l'eau bleue, des pinceaux, des ciseaux, de la colle, des crayons

JEUX POUR UNE FÊTE ESTIVALE

Souffle, vent d'été, souffle !

Le chapitre suivant renferme des suggestions pour une fête estivale regroupant huit à vingt enfants âgés de quatre ans ou plus. La plupart des jeux sont calmes, mais vous trouverez naturellement aussi quelques idées qui permettront aux enfants de se défouler. L'histoire du vent d'été racontée par le meneur de jeu est le fil conducteur de toute la fête, elle crée un lien entre chacune des activités. Le mieux est d'organiser les jeux à l'extérieur. Si ce n'est pas possible, vous devez disposer, pour huit enfants, d'un espace d'environ 24 m².

Décorez la pièce ou la prairie avec du papier ou des étoffes de couleur. Peut-être pourriez-vous même prévoir de la musique classique, par exemple *Les quatre saisons* de Vivaldi.

Planifiez la fête de manière telle que les enfants aient assez de temps par la suite pour manger et boire ainsi que pour s'amuser librement.

CARTES D'INVITATION

Pour une véritable fête, une invitation s'impose. La carte aux nuages de coton hydrophile constitue une mise en condition idéale pour le thème choisi.

Il faut, pour chaque enfant, une carte que vous découperez dans du carton rigide bleu clair (format : 16 x 11,5 cm). Collez dans un coin un tampon de coton hydrophile représentant un nuage et mouchetez-le au pinceau de peinture bleue. Vous pourrez préciser la date et le lieu de la fête en vous inspirant de l'illustration.

le samedi
10 août

46 rue
du château,
Orléans

L'HISTOIRE DU VENT D'ÉTÉ QUI NE VOULAIT PLUS SOUFFLER

Il y a très longtemps, le vent d'été se dit : « Puisqu'il y a sur terre si peu de gens pour se préoccuper de la nature, je n'ai plus envie de souffler. Personne ne remarque combien les fleurs sont belles et comme elles sentent bon, et personne n'écoute plus le gazouillis des oiseaux. Les gens sont devenus sourds et aveugles. »

Le vent se coucha dans l'herbe et s'endormit. Et bientôt, il se mit à faire chaud et étouffant sur la terre. Les hommes ne pouvaient plus travailler dans cet air malsain ni trouver le sommeil. Ils envisagèrent alors de construire de grandes machines à vent. En apprenant ce projet, les enfants leur rirent au nez et s'écrièrent : « Attendez, nous allons réveiller le vent. » Et ils décidèrent de se rencontrer pour réfléchir au meilleur moyen de réveiller le vent d'été. Il fallait tout d'abord, pensaient-ils, que le vent fasse leur connaissance...

LE BALLON À VISAGE HUMAIN

Prenez un ballon et gonflez-le. Ensuite, dessinez-y votre visage. Le jeu peut alors commencer : lancez vos ballons en l'air en les faisant circuler le plus possible. Chaque fois que l'un d'entre vous criera « Vent d'été, réveille-toi ! », saisissez tous un ballon, regardez-le attentivement et rendez-le à celui qui a dessiné son visage dessus.

LE BALLON À VISAGE HUMAIN

MATÉRIEL :
un ballon de baudruche pour chacun, des feutres

LE BAL DES BALLONS

Un premier enfant imagine un mouvement à exécuter avec un ballon et le montre à ses camarades. Par exemple, toucher et lancer le ballon uniquement avec le bout des doigts, le genou ou la tête. Les autres tentent de reproduire ce geste. Lorsqu'ils y parviennent, « l'inventeur » du mouvement cède sa place à l'enfant suivant.

Une fois que vous avez tous présenté votre idée, formez deux équipes et, à l'aide d'une corde, divisez le terrain de jeu en deux. Tenez vos ballons en main et tentez maintenant d'envoyer tous les ballons de votre équipe dans le camp adverse et de n'en laisser pénétrer aucun de votre côté. Le jeu se terminera lorsqu'une des deux équipes y sera parvenue ou que vous serez tout simplement à bout de souffle.

À présent, les enfants sont hors d'haleine et ont trop chaud. Ils apprécieraient tellement un peu d'air frais ! Quel dommage que le vent ne souffle pas ! Ils ont alors une idée : pourquoi ne pas créer un peu de vent avec un grand drap ?

VOLE, BALLON !

Les enfants maintiennent le drap en l'air et le secouent énergiquement. Après avoir eu leur ration d'air frais, ils placent leurs ballons sur le drap qu'ils agitent de façon régulière jusqu'à ce que les ballons s'élèvent dans le ciel.

Le vacarme des enfants a réveillé le vent. Rempli de joie, celui-ci les regarde jouer avec leurs ballons multicolores. Après un si long sommeil, il faut qu'il inspire et expire une bonne fois. Ce faisant, il happe l'un ou l'autre ballon qui est emporté par un courant d'air.

Le réveil du vent d'été donne une autre idée aux enfants. Ils vont construire un lit d'air et voir si l'on y est bien pour dormir.

LE LIT D'AIR

Agenouillez-vous en cercle en laissant au centre un espace libre que vous remplirez de ballons. À tour de rôle, couchez-vous avec beaucoup de précaution sur le lit d'air et laissez-vous bercer agréablement.

Comme on est bien sur un lit d'air ! On pourrait y dormir chaque nuit. Mais l'air n'est pas uniquement source de repos; on peut l'inspirer et l'expirer en sentant comment il pénètre dans le corps et en ressort.

Ravis d'être parvenus à réveiller le vent, les enfants jouent avec leur propre respiration.

MA RESPIRATION

Asseyez-vous en vous tenant bien droits. En suivant les consignes du meneur de jeu, étirez puis relâchez l'un après l'autre tous vos membres. Le mieux est de débuter par les mains. Lorsque vous arrivez aux pieds, restez assis un petit moment, parfaitement détendus. Commencez ensuite à inspirer profondément en prenant bien conscience de votre respiration, comme si vous vouliez faire pénétrer l'air jusqu'au bout de vos orteils. En expirant, essayez de chasser les cheveux qui se trouvent sur votre front. Prenez une nouvelle inspiration très profonde et expirez l'air par à-coups. On croirait entendre une locomotive à vapeur : « tch, tch, tch… ».

Enfin, tentez d'amener l'air jusqu'au bout de vos doigts : lors de l'inspiration, levez les bras ; lors de l'expiration, mettez les mains sur les hanches et poussez un grand « pouh ! »

Cette fois, le vent d'été est de nouveau bien perceptible. Les enfants lui crient gentiment : « Salut, cher vent d'été, voudrais-tu nous rendre les odeurs de la nature ? » Le vent se met à rire et chasse au loin l'air lourd et impur. Enfin, les enfants peuvent de nouveau sentir le parfum des fleurs et ils entament sans tarder le parcours des odeurs.

LE LIT D'AIR
MATÉRIEL :
des ballons de
baudruche,

VOLE, BALLON !
MATÉRIEL :
des ballons de
baudruche,
un drap

LE PARCOURS
DES ODEURS

MATÉRIEL :
15 pots de yaourt,
du coton hydrophile,
3 essences de fleur

UN CERF-VOLANT
ESTIVAL

MATÉRIEL :
un petit sac en tissu
(6 x 10 cm) par enfant,
du sable, du riz ou des
lentilles, 1,50 m
de ficelle pour chacun,
du papier crépon de
différentes couleurs,
des ciseaux

LE PARCOURS DES ODEURS

Avant le début du jeu, vous aurez préparé 15 pots de yaourt et placé un tampon de coton hydrophile dans chacun d'eux. Le meneur de jeu verse maintenant quelques gouttes de différentes essences de fleur sur les tampons. Les quinze pots de yaourt sont répartis en trois groupes de cinq avec un parfum identique pour tous les pots d'un même groupe. Tracez avec ceux-ci trois chemins parfumés qui se croisent. Chacun d'entre vous

choisit un parfum et essaie de suivre le chemin qui y correspond.

Le vent d'été est heureux de voir les enfants respirer délicatement le parfum des fleurs et prendre du plaisir au contact de la nature. Pour les remercier, il caresse doucement leur nez et leurs mains et effleure très légèrement leurs jambes et leurs pieds. Les enfants adorent cela et veulent offrir un cadeau au vent d'été. Ils construisent pour lui un cerf-volant bariolé avec lequel ils pourront jouer ensemble.

UN CERF-VOLANT ESTIVAL

Vous recevez tous un petit sac en tissu que vous remplissez de sable, de riz ou de lentilles. Fermez-le solidement avec une extrémité de la grande ficelle. Puis découpez des bandes de papier crépon de couleurs différentes et d'environ 50 cm de largeur et 1,50 m de longueur. Nouez-les au sommet du sac avec la ficelle.

Prenez l'extrémité de la ficelle dans la main, faites tourner le sac à plusieurs reprises au-dessus de vous, puis lâchez-le. Le sac s'envolera dans les airs et le vent pourra jouer avec lui.

En remerciement pour ce beau cadeau, le vent d'été leur offre à tous un élixir magique.

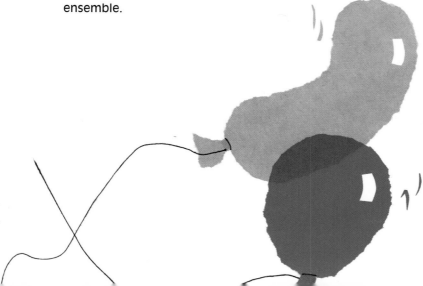

L'ÉLIXIR MAGIQUE

L'élixir magique peut être préparé la veille de la fête. Il sera encore plus apprécié des enfants s'il est servi bien frais.

Préparation

1. Mélangez toutes les boissons ensemble, ajoutez le jus d'un citron pressé et placez le tout au réfrigérateur.

2. Lavez les fruits, pelez-les et ôtez les noyaux. Coupez ensuite les fruits en morceaux de la taille d'une framboise. Saupoudrez-les légèrement de sucre. Si vous utilisez des fruits en boîte, laissez-les soigneusement égoutter. Disposez les morceaux de fruit l'un à côté de l'autre sur une plaque ou un plateau afin qu'ils ne s'agglutinent pas, et mettez-les au moins une demi-journée au congélateur. Une fois congelés, les fruits pourront être mélangés.

3. Avant de servir, versez dans chaque verre une cuillerée à soupe de fruits congelés et, par-dessus, le mélange thé-jus.

RIMES ESTIVALES

Papi papillon
Mais d'où viens-tu donc ?
Je ne sais pas
Je n'ai pas de maison.
Papi papillon
Mais où vas-tu donc ?
Je vais là où
le vent me pousse
C'est là qu'est ma maison.

L'ÉLIXIR MAGIQUE

INGRÉDIENTS POUR 4 ENFANTS :
2 l de thé à la menthe, 1 l de thé aux fruits, 1/2 l de jus de framboise, un citron, divers fruits de saison ou une boîte de macédoine de fruits

*DEVINETTES
AUTOMNALES*

ÂGE :
à partir de 6 ans

PARTICIPANTS :
2 enfants minimum
et un adulte meneur
de jeu

MATÉRIEL :
du papier, un crayon,
du ruban adhésif

DEVINETTES AUTOMNALES

L'automne est une période de transition : les belles journées estivales sont terminées, mais le froid de l'hiver est encore loin. L'automne, c'est aussi la récolte des pommes, les vendanges et le ramassage des châtaignes.

Demandez aux enfants ce que cette saison évoque pour eux, puis proposez-leur le jeu des châtaignes, des glands et des noisettes. Pour les jeunes enfants, mieux vaut choisir les concepts les plus simples possible, tandis que les enfants plus âgés pourront essayer de décrire le « givre » ou la « brume matinale ».

Le meneur de jeu a préparé pour chaque participant un billet sur lequel il a écrit un mot ou dessiné un concept relatif à l'automne, par exemple « châtaigne » ou « brouillard ». Il colle un papier sur le dos de chaque enfant, sans que celui-ci puisse le voir. De quoi peut-il s'agir ? Peut-être d'un gland ? Le but est de le deviner en posant trois questions aux autres enfants qui répondront par oui ou par non. Par exemple : « Peut-on m'utiliser pour bricoler ? », « Les chevreuils aiment-ils me manger ? », « Est-ce que je pousse sur les arbres ? ».

Lorsqu'un joueur a deviné ce qui était inscrit sur son papier, il peut le coller sur sa poitrine. Le jeu s'arrête lorsque tous les participants y sont parvenus.

HISTOIRE À ENTENDRE ET À SENTIR

L'histoire de Rouli-Bouli, le petit monstre de la forêt qui cherche une compagne, figure ici à titre indicatif. N'hésitez pas à inventer vos propres fables en introduisant dans le récit des événements qui viennent de se produire dans les jours précédents. Pour que rien ne vienne perturber la concentration des enfants, ayez bien le canevas en tête et préparez à l'avance tous les accessoires.

Asseyez-vous confortablement en cercle et fermez les yeux. Écoutez attentivement l'histoire qui vous est racontée. De temps en temps, le meneur de jeu vous met un objet dans la main. Tâtez-le afin de mieux vous représenter l'histoire de Rouli-Bouli et oubliez tout ce qui vous entoure pendant un instant.

HISTOIRE

Rouli-Bouli, le petit monstre de la forêt, vit dans le feuillage bruissant au pied des arbres (donner des feuilles mortes à sentir et à toucher), là où il fait sombre et où l'on sent une odeur de terre humide (soucoupe contenant de la terre humide). Rouli-Bouli est tout rond, entièrement couvert de piquants (une bogue de châtaigne ou de marron), il ressemble à un hérisson.

Du matin au soir, Rouli-Bouli arpente la forêt en roulant sur ses piquants. Ses amis sont le grand duc et l'écureuil (plumes, morceaux de fourrure) qui l'aiment bien et qui bavardent un peu avec lui lorsque qu'ils le voient passer. Mais, au fond de son cœur, Rouli-Bouli se sent très seul. Rien ne lui ferait plus plaisir que de rencontrer une compagne à piquants avec qui il pourrait rouler dans la forêt.

Un matin, Rouli-Bouli s'éveille avec la certitude qu'il trouvera sa compagne ce jour-là et qu'il doit partir à sa recherche. Tout joyeux, il s'étire encore un peu sur la mousse douce (un morceau de mousse ou de velours) devant sa cabane, puis il se met en route. Où aller ? Vers la gauche ou vers la droite ? Prudemment, il tend son petit nez dans les deux directions. À gauche, il sent l'odeur des feuilles moisies (feuilles humides), ce n'est sûrement pas le bon chemin. Mais à droite, il sent un parfum merveilleux. Cette odeur attirante (tampon de coton hydrophile imbibé d'une huile aromatique) le mène à une prairie pleine de fleurs. Jamais il n'a rien vu d'aussi joli. Prudemment, il hume les fleurs tendres, douces comme de la soie (étoffe lisse, pétales). Est-ce ici qu'il trouvera enfin sa femme ? « Elle doit sûrement être aussi ronde que moi », se dit Rouli-Bouli qui examine tout ce qui est rond (balle de tennis ou de ping-pong, châtaigne, bille de verre). Rien ne semble lui convenir jusqu'à ce que, soudain, il trouve une petite boule ronde pleine de piquants, des piquants exactement semblables aux siens (une bogue de châtaigne ou de marron).

« Ce doit être elle, la compagne que je cherche depuis si longtemps », se dit-il. Et Rouli-Bouli ne se trompait pas.

Tout contents de s'être enfin trouvés, nos deux amoureux roulent ensemble chaque jour dans la forêt. Dans le feuillage (feuilles), sur de la mousse (mousse ou velours), sur les racines d'arbres (racines) ou dans des petits ruisseaux (gobelet rempli d'eau). Mais c'est dans la prairie de leur rencontre, pleine de fleurs odorantes et colorées (tampon de coton hydrophile imbibé d'huile aromatique), que Rouli-Bouli et sa compagne préfèrent s'ébattre.

Sentez, vous aussi, une nouvelle fois la prairie fleurie, puis ouvrez les yeux et étirez-vous.

*HISTOIRE
À ENTENDRE ET
À SENTIR*

ÂGE :
à partir de 4 ans

PARTICIPANTS :
4 enfants minimum et un adulte narrateur

MATÉRIEL :
divers objets adaptés à l'histoire

*QUAND LES MAINS
REMPLACENT
LES YEUX*

ÂGE :
à partir de 4 ans

PARTICIPANTS :
3 enfants minimum
et un adulte meneur
de jeu

MATÉRIEL :
divers matériaux
naturels, du papier,
des peintures à l'eau ou
des crayons de couleur,
des pinceaux,
de la musique douce

*PETITS ET GRANDS
À L'ÉCOUTE*

ÂGE :
à partir de 4 ans

PARTICIPANTS :
3 enfants minimum
et un adulte meneur
de jeu

MATÉRIEL :
divers objets
susceptibles de
produire des bruits
d'automne, par exemple
un seau plein de
feuilles, un sac
de glands ou
de châtaignes,
des noisettes,
un casse-noisettes

QUAND LES MAINS REMPLACENT LES YEUX

Même les enfants les plus dynamiques apprécieront ce jeu calme. Créez une ambiance propice à la relaxation en passant une musique douce et demandez aux enfants de se concentrer sur ce qu'ils sentent, d'entrer en eux-mêmes et de parler le moins possible.

Asseyez-vous en cercle, fermez les yeux et laissez-vous bercer quelques instants par la musique. Le meneur de jeu vous donne à chacun un objet que vous palpez et essayez d'identifier sans le regarder. Est-il grand ou petit, lisse ou rugueux, dur ou mou ?

Lorsque vous l'aurez reconnu, passez-le à votre voisin de droite et prenez celui que votre voisin de gauche vous tend. Essayez de nouveau de deviner de quoi il s'agit. Faites-vous passer tous les objets jusqu'à ce que vous ayez l'impression de tenir de nouveau le vôtre en main.

À présent, le meneur de jeu récupère tous les objets et les met de côté. Ouvrez les yeux et dessinez votre objet. Prenez tout votre temps et essayez de vous souvenir d'un maximum de détails. Le mieux est de ne pas parler les uns avec les autres.

Lorsque votre dessin est terminé, cherchez l'objet qui lui correspond. Vous serez étonnés de constater à quel point est petite la rainure ou la boursouflure que vous aviez si bien senties avec les doigts.

PETITS ET GRANDS À L'ÉCOUTE

Fermez les yeux et ouvrez bien grand les oreilles. Vous serez étonnés de découvrir la diversité des bruits caractéristiques des différentes saisons. Vous constaterez aussi que les grands n'ont pas nécessairement l'oreille la plus fine !

Asseyez-vous en cercle, fermez les yeux et écoutez. Essayez de reconnaître les bruits produits par le meneur de jeu. Ce jeu ne doit pas impérativement se pratiquer avec des objets propres à l'automne. Quel était ce craquement ? Et qu'est-ce qui peut émettre ce léger bruissement ?

Le joueur qui identifie le bruit peut ouvrir les yeux et prendre la place du meneur de jeu. Si vous ne trouvez aucun bruit typique de l'automne, tapez du pied, déchirez une feuille de papier ou ouvrez une fenêtre.

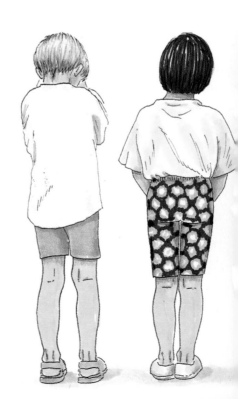

Chaton, es-tu derrière moi ?

Les chats se déplacent toujours à pas feutrés, surtout s'il s'agit de s'approcher des délicieux petits gâteaux. L'objectif de ce jeu est de faire le moins de bruit possible et de se fier à son odorat et à son ouïe.

Formez un cercle et fermez les yeux. Deux enfants restent à l'extérieur du cercle : ce sont les chatons qui rôdent autour du cercle. En essayant de ne pas se faire remarquer, ils se placent derrière l'un des autres joueurs. Si vous avez la sensation que quelqu'un est derrière vous (attention, il est interdit de toucher !), posez la question suivante : « Chaton, es-tu derrière moi ? » Si votre impression était la bonne, le chaton répond « miaou » et prend votre place dans le cercle. À votre tour de vous glisser dans la peau d'un chat !

Variante

Formez un cercle en ménageant un espace entre vos voisins et vous. Placez une assiette contenant des gâteaux au centre du cercle. Les chatons doivent essayer de se glisser à l'intérieur du cercle et d'atteindre les gâteaux. Le joueur qui remarque qu'un de ses camarades est passé près de lui essaie de le toucher et de le repousser. Le jeu prend fin lorsque les deux chats ont réussi à subtiliser les gâteaux.

Du plus petit au plus grand

Avec un peu d'entraînement, il devient très facile de se ranger par ordre de taille en gardant les yeux fermés. Et ce jeu déclenchera de salutaires fous rires.

Déplacez-vous lentement et prudemment dans la pièce en gardant les yeux fermés. Le meneur de jeu énonce une caractéristique qui doit vous permettre de vous reconnaître et de vous retrouver sans ouvrir les yeux. Cherchez par exemple quelqu'un dont les cheveux ont la même longueur que les vôtres ou qui est plus grand que vous. Votre tâche ne sera pas si facile que cela, car vous avez uniquement le droit de toucher vos amis, il vous est interdit de leur parler. À la fin du jeu, rangez-vous par ordre de taille, ouvrez les yeux et regardez si vous n'avez pas commis d'erreur.

CHATON, ES-TU DERRIÈRE MOI ?

ÂGE :
à partir de 4 ans

PARTICIPANTS :
6 enfants minimum

MATÉRIEL :
des assiettes contenant des gâteaux

DU PLUS PETIT AU PLUS GRAND

ÂGE :
à partir de 4 ans

PARTICIPANTS :
6 enfants minimum
et un adulte meneur de jeu

MATÉRIEL :
aucun

ÂGE :
à partir de 4 ans

PARTICIPANTS :
8 enfants minimum

MATÉRIEL :
aucun

LE RÂTEAU À FEUILLES

Des feuilles d'automne de couleurs différentes peuvent constituer un magnifique support de jeu. On peut les jeter en l'air, les faire tourbillonner avec les pieds ou réaliser un collage automnal avec les plus beaux spécimens. Interrogez les enfants sur le cycle des arbres au cours de l'année et montrez-leur les nouvelles feuilles qui commencent déjà à poindre.

Et maintenant, le grand balayage des feuilles peut commencer.

Délimitez une aire de jeu. Plus le nombre de participants sera élevé, plus elle devra être grande. Deux d'entre vous se tiennent par la main : ils représentent le râteau et leurs jambes constituent les dents de celui-ci. Les autres enfants sont les feuilles. Le râteau tente de ratisser les feuilles qui, malheureusement, sont dispersées par le vent.

Si le râteau réussit à fermer un cercle autour d'un joueur ou à le maintenir dans un coin de l'aire de jeu de façon à ce qu'il ne puisse plus s'échapper, la feuille est attrapée et reste sur le râteau. Ainsi, le râteau devient de plus en plus grand et, à la fin du jeu, il ne reste plus aucune feuille.

Ces feuilles en flamme
Prenez-les, Madame
C'est un peu de temps
que le vent suspend

Ces feuilles en flamme
Ramassez-les, Madame
Ce sont des rayons de soleil
Qu'un arbre a attrapés
À la pêche aux merveilles
Un soir d'été.

MÉLI-MÉLO DE MAINS

Pour attraper un objet, nous avons géné-ralement besoin des deux mains. Mais les choses se compliquent singulièrement lorsque les mains appartiennent à deux enfants différents. À n'en pas douter, tous les participants seront à bout de souffle à la fin de ce jeu.

Formez un cercle. Par équipe de deux, placez une main sur une hanche (l'un la main droite et l'autre la main gauche). Un enfant se place au milieu du cercle et lance la balle à une équipe. Nos deux amis essaient d'attraper ensemble la balle avec leur main libre. S'ils n'y arrivent pas, ils doivent courir autour du cercle dans des directions opposées.

Le premier à rejoindre sa place peut former une nouvelle équipe avec l'enfant du milieu. Le perdant se place au milieu du cercle, et le jeu se poursuit de la même manière.

RÉCOLTE DE POMMES

Une pomme bien juteuse est le symbole par excellence de l'automne. Les enfants auront plaisir à déguster les pommes récoltées.

Répartissez-vous en deux files d'égale lon-gueur. Chacun doit tenir la main de son voisin de derrière. Placez une coupe à fruits vide devant chaque file et, à l'autre extrémité, un panier de pommes commun aux deux files. Ce panier servira pour les deux équipes. Tous les joueurs ferment les yeux, à l'exception des deux premiers joueurs de chaque file. Le meneur de jeu lance la pièce. Si c'est pile, per-sonne ne bouge. Si c'est face, les deux pre-miers joueurs pressent la main de leur voisin, et le signal est transmis, de cette manière, jus-qu'au bout de la file. Le dernier joueur de l'équipe la plus rapide prend une pomme dans le panier et vient la déposer dans la coupe à fruits de son équipe, avant de se placer au début de la file. Les enfants de l'autre file gar-dent la même position.

L'équipe gagnante est celle qui a récolté le plus grand nombre de pommes au bout de dix manches.

Gare aux piqûres de guêpe !

Courez vite pour ne pas être piqué !

À l'aide de ruban adhésif ou d'une craie, dessinez des itinéraires qui se croisent.

L'un des enfants joue le rôle de la guêpe et veut piquer les autres. Naturellement, ceux-ci doivent essayer de lui échapper, mais sans quitter les itinéraires. Attention, ils ne peuvent ni passer à deux de front, ni se dépasser. Lorsque deux joueurs se rencontrent, ils doivent vite décider qui cède le passage. Si l'abeille parvient à piquer l'un des enfants, celui-ci est éliminé.

Le jeu se termine lorsqu'il ne reste plus qu'un seul enfant en jeu. Il prend alors la place de la guêpe.

Le chapeau magique

L'enfant qui porte le chapeau magique ensorcelle tous les autres.

Déplacez-vous au son de la musique dans la pièce. L'un d'entre vous porte le chapeau magique. Il effectue des mouvements comiques ou produit de drôles de bruits. Tant qu'il porte le chapeau, les autres sont envoûtés et doivent imiter tous ses gestes. Dès que l'enchanteur est à court d'idées ou répète des mouvements qu'il a déjà effectués, il cède son chapeau à l'un de ses camarades, et tous suivent les consignes du nouveau magicien.

**GARE
AUX PIQÛRES
DE GUÊPE !**

ÂGE :
à partir de 5 ans

PARTICIPANTS :
4 enfants minimum

MATÉRIEL :
du ruban adhésif ou
de la craie

**LE CHAPEAU
MAGIQUE**

ÂGE :
à partir de 4 ans

PARTICIPANTS :
3 enfants minimum

MATÉRIEL :
un chapeau,
de la musique

ÂGE :
à partir de 5 ans

PARTICIPANTS :
6 enfants minimum
et un adulte meneur
de jeu

MATÉRIEL :
aucun

QUI TROUVERA L'ESPRIT DE LA FORÊT ?

Dans ce jeu, l'ensemble du groupe doit se déplacer en fermant les yeux. Il n'est pas nécessaire de bander les yeux des enfants, car ils comprendront bien vite qu'ils gâchent leur plaisir s'ils entrouvent les yeux.

Fermez les yeux. Le meneur de jeu murmure à l'oreille de l'un des enfants qu'il est l'esprit de la forêt et qu'il doit rester absolument muet.

À présent, déplacez-vous lentement et prudemment au travers de la pièce. Quand vous croisez un autre joueur, tenez-le par les épaules et demandez-lui à voix basse : « Es-tu l'esprit de la forêt ? » S'il vous pose la même question, il ne peut être l'esprit de la forêt. En revanche, si vous rencontrez quelqu'un qui ne pose aucune question et ne répond pas aux vôtres, vous l'avez découvert. Tenez-le par les épaules et restez muet à votre tour.

Le jeu se termine lorsque tous les enfants ont trouvé l'esprit de la forêt.

ÂGE :
à partir de 6 ans

PARTICIPANTS :
6 enfants minimum

MATÉRIEL :
des pierres pour
marquer
le parcours

COURSE EN CHAISES À PORTEURS

Parcourir trente mètres de cette façon : un véritable tour de force !

Déterminez la ligne de départ et dessinez un parcours d'environ dix mètres de long à l'aide de grosses pierres. Deux équipes composées chacune de trois enfants vont s'affronter.

Dans chaque équipe, deux enfants se prennent par les poignets et forment ainsi une chaise sur laquelle peut s'asseoir le troisième. Au signal de départ, les deux équipes s'élancent le plus vite possible pour atteindre la première pierre. Elles changent alors les rôles, font de nouveau la course jusqu'à la deuxième pierre et inversent une dernière fois les rôles. Chaque équipe essaie d'être la première à atteindre la ligne d'arrivée.

Si une équipe comprend plus de trois enfants, les joueurs en surnombre passent successivement leur tour.

Caillou !

Un magicien veut ensorceler les enfants. Lorsqu'il en attrape un, celui-ci reste pétrifié et ne peut plus bouger. Heureusement, les enfants peuvent s'entraider et se délivrer mutuellement du sortilège.

Désignez un magicien qui va essayer de tous vous pétrifier. Lorsque le magicien touche un joueur, celui-ci reste sur place, comme enraciné, et ne peut plus bouger. Une seule issue : un enfant libre rampe entre les jambes de son camarade et annule le sortilège. Mais attention, cet acte de bravoure n'est pas sans danger, car le magicien essaiera aussi de pétrifier le sauveur.

Si le magicien ne réussit pas à vous transformer tous en pierres inertes, il peut se choisir un assistant. Le dernier enfant libre prendra la place du magicien pour les tours suivants. Avant le début d'une nouvelle manche, il peut décider qui il statufiera dans une position comique.

Poursuite à la suite

Pour que ce jeu de poursuite soit amusant, il vaut mieux que les enfants aient tous le même âge afin qu'ils aient les mêmes chances. Celui qui réussira à réagir rapidement, même s'il est essoufflé après avoir couru, n'aura rien à craindre.

Un des enfants se lance à la poursuite des autres. Celui qui risque de se faire attraper s'accroupit et crie le nom d'un de ses amis. Le chasseur doit alors essayer d'attraper l'enfant dont le nom vient d'être prononcé. S'il y réussit, les rôles sont inversés.

CAILLOU !

ÂGE :
à partir de 4 ans

PARTICIPANTS :
5 enfants minimum

MATÉRIEL :
aucun

POURSUITE À LA SUITE

ÂGE :
à partir de 4 ans

PARTICIPANTS :
5 enfants minimum

MATÉRIEL :
aucun

RALLYE URBAIN

ÂGE :
à partir de 6 ans
(au moins un enfant
sachant lire par équipe)

PARTICIPANTS :
6 enfants minimum
et un adulte pour
la préparation,
éventuellement
des adultes pour
accompagner
les groupes

MATÉRIEL :
des informations sur
la ville, un crayon,
du papier

RALLYE URBAIN

Les enfants connaissent-ils leur environnement ? Pour ce rallye, ils doivent ouvrir grand leurs yeux et leurs oreilles. Consacrez suffisamment de temps à la préparation, afin que les « épreuves » soient vraiment intéressantes.

Préparation

1. Le meneur de jeu a préparé le rallye et élaboré un itinéraire sans danger. Plus les enfants sont âgés, plus la distance à parcourir peut être longue. Des brochures relatives à l'histoire de la ville et un plan de celle-ci vous aideront dans votre préparation.

2. Pour chaque équipe, préparez un ensemble d'énigmes et, quelques heures avant le début du rallye, répartissez-les entre les différentes étapes. Pour éviter les complications, il peut s'avérer utile d'avertir les riverains ou les autorités.

Déroulement

Formez de petites équipes de trois ou quatre enfants dont au moins un sait lire. Si de jeunes enfants participent à ce jeu, ils peuvent être accompagnés d'un adulte. Naturellement, celui-ci ne participera pas à la résolution des énigmes.

Le rallye peut commencer ! Les équipes démarrent à un quart d'heure d'intervalle et essaient de résoudre l'énigme qui figure sur le premier papier, par exemple : « Dans notre ville, une grande rue comporte une maison avec un grand écran. Demandez quand a lieu la prochaine projection pour enfants et ce dont il s'agit. » Naturellement, tous auront compris qu'ils doivent se rendre au cinéma. Ils y trouveront le titre du prochain film pour enfants et l'heure de la prochaine séance. À l'entrée du cinéma se trouve une enveloppe qui renferme la prochaine énigme.

Les enfants progressent ainsi jusqu'à l'arrivée où un pique-nique les attend. Lorsque toutes les équipes sont arrivées, demandez les résultats des énigmes et comptez les points (un pour chaque réponse correcte). Qui sera le vainqueur ?

Idées de questions

- Comment s'appelle le maire et quelle est la date de son anniversaire ?
- Quand la cloche de l'église a-t-elle été fondue et combien y a-t-il de marches pour monter dans le clocher ?
- Quel animal est représenté sur la couverture du livre d'images dans la vitrine de la librairie ?
- Quelle est la plus ancienne maison de la ville et que voit-on sur sa façade ?

Variante

Le rallye peut également prendre la forme d'une excursion à bicyclette dans les villages avoisinants. Pour que les énigmes soient faciles à trouver, le meneur de jeu peut accrocher les enveloppes à des ballons visibles de loin.

Il peut aussi être amusant que les équipes aient à préparer des activités pour la soirée passée en commun, par exemple une mini-pièce de théâtre ou un exercice acrobatique. Elles pourraient également rapporter divers objets, par exemple dix feuilles d'arbres différentes ou cinq fruits.

RALLYE-CUISINE

Les enfants aiment faire la cuisine, parfois au grand dam des mamans ! Mais celles-ci seront dédommagées de l'éventuel naufrage de leur cuisine par l'enthousiasme débordant dont feront preuve les jeunes maîtres coqs.

Avant le début du jeu, le meneur a caché tous les ingrédients. Formez des équipes de deux à trois enfants. Chaque équipe reçoit une feuille sur laquelle sont inscrits les ingrédients et les ustensiles de cuisine requis. Ils ne devront pas chercher le lait, le fromage blanc et le sucre, car ceux-ci sont déjà dans la cuisine. Si beaucoup d'enfants ne sachant pas encore lire participent à ce jeu, vous pourrez dessiner ou peindre les ingrédients. Chaque équipe doit chercher un type de fruit (s'il n'y a que deux équipes, elles pourront en chercher deux). Les ustensiles de cuisine doivent être marqués avec des morceaux de papier, des bandes ou des brins de laine de différentes couleurs.

Déplacez-vous et cherchez tout ce dont vous aurez besoin. Placez tout ce que vous avez trouvé dans le panier, y compris les ingrédients et ustensiles des autres équipes.

Lorsque vous rencontrez une autre équipe, organisez une petite compétition pour compléter votre collecte : désignez un concurrent dans chaque équipe. Les deux enfants se placent l'un à côté de l'autre et tentent de lancer une balle de tennis dans un seau placé à trois mètres de distance. Le vainqueur peut prendre, dans le panier de l'autre équipe, un objet dont son équipe a besoin.

Dès que vous aurez trouvé tous les ingrédients, rendez-vous dans la cuisine et préparez-y votre plat de fromage blanc aux fruits. À la fin, mélangez le contenu de tous les plats dans un grand saladier. À présent, il ne vous reste plus qu'à déguster.

RALLYE-CUISINE

ÂGE :
à partir de 5 ans

PARTICIPANTS :
4 enfants minimum
et un adulte meneur
de jeu

MATÉRIEL :
pour chaque équipe,
une fiche sur laquelle
sont inscrits ou peints
les ingrédients et
les ustensiles,
un saladier,
un couteau par enfant,
une cuillère pour
mélanger, des fruits
(par exemple des poires,
des pommes et
des bananes, un type
par équipe), du fromage
blanc, du lait,
éventuellement du
sucre, un panier pour
tout rassembler, 2 balles
de tennis, un seau ou
une boîte en carton

DÉBALLAGE
DU CHOCOLAT

ÂGE :
à partir de 4 ans

PARTICIPANTS :
4 enfants minimum

MATÉRIEL :
un dé, une paire de
gants, une casquette,
un foulard, un couteau
et une fourchette,
une plaque de chocolat,
du ruban adhésif,
des journaux

RÉCOLTE
DE BONBONS

ÂGE :
à partir de 4 ans

PARTICIPANTS :
2 enfants minimum

MATÉRIEL :
de la ficelle,
des bonbons et d'autres
sucreries, un morceau
de tissu, des ciseaux

DÉBALLAGE DU CHOCOLAT

Ce jeu fait partie des distractions classiques des goûters d'anniversaire. Il est si amusant que tous les enfants aiment y jouer régulièrement.

Avant de commencer, emballez une plaque de chocolat dans du papier journal et fixez le tout avec du ruban adhésif. Asseyez-vous en cercle et commencez à jeter le dé. L'enfant qui fait un six enfile l'écharpe, la casquette et les gants, prend le couteau et la fourchette et commence à déballer le chocolat. Les autres continuent à lancer le dé. Celui qui fait un nouveau six prend les accessoires et tente de nouveau sa chance pour le déballage du chocolat. Lorsque la plaque de chocolat est entièrement déballée, partagez-la et mangez-la.

RÉCOLTE DE BONBONS

Voici encore d'un jeu apprécié lors des goûters d'anniversaire, garant d'une ambiance réussie.

Tendez une ficelle au travers de la pièce et suspendez diverses sucreries au bout de petits morceaux de fil. La ficelle doit être tendue de manière à ce que les enfants puissent attraper les sucreries en tendant les bras. Bandez les yeux du premier joueur et mettez-lui une paire de ciseaux dans la main. Réussira-t-il à couper un fil et à récupérer un délicieux bonbon ? S'il y parvient, c'est le tour de l'enfant suivant.

BARRES DE FRUITS

« Maman, je peux avoir un bonbon ? » Combien de fois les parents n'entendent-ils pas cette question au cours d'un après-midi ! Laissez donc les bonbons dans l'armoire, car il ne faut pas nécessairement donner du sucre pour apaiser les envies sucrées.

1. Coupez les prunes et les abricots en tout petits morceaux. Utilisez le mixeur pour obtenir des morceaux plus fins.

2. Mettez les fruits dans un saladier, ajoutez des noisettes, de la cardamome et du miel et mélangez bien le tout.

3. Étendez le mélange sur une feuille de pain azyme. Recouvrez d'une deuxième feuille.

Pour que l'ensemble colle parfaitement, recouvrez-le d'une planche en bois sur laquelle vous placerez deux boîtes de conserve pleines.

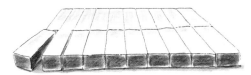

4. Laissez reposer une nuit entière. Le lendemain, vous pouvez découper votre bloc de fruit en dix bandes de même largeur que vous diviserez en deux dans l'autre sens pour obtenir 20 barres. Si vous ne souhaitez pas manger toutes les barres de fruits en même temps, emballez-les dans du papier d'aluminium afin qu'elles restent fraîches et bien juteuses.

BARRES DE FRUITS

ÂGE :
à partir de 4 ans

INGRÉDIENTS
POUR 20 BARRES
200 g de prunes sèches
sans noyau,
200 g d'abricots secs
non pulvérisés,
100 g de noisettes
moulues, 2 cuillerées
à soupe de miel,
1/2 cuillerée à café
de cardamome,
2 feuilles de pain azyme
rectangulaires (12 x
20 cm)

MATÉRIEL :
un couteau de cuisine,
éventuellement
un mixeur, une planche
en bois, 2 boîtes de
conserve pleines en
guise de poids

DU CALME, LES POMMES !

Il s'agit d'un jeu qui procurera un immense plaisir à tous et qui ne requiert aucune préparation.

Si vous êtes affamé, il vous faudra patienter un peu, car il n'est pas si simple de croquer un morceau de pomme dans ces conditions.

Le meneur de jeu noue solidement la queue d'une pomme à un fil qu'il fixe au plafond à l'aide d'une punaise ou de ruban adhésif, de manière à ce que la pomme soit à la hauteur de la bouche des enfants. Attention : la pomme ne doit pas tomber à la première secousse.

Deux joueurs se font face, les yeux bandés, la pomme pend entre eux. Au signal de départ, ils doivent essayer, sans s'aider des mains, de croquer dans la pomme et d'avaler un morceau aussi rapidement que possible. Le meneur de jeu chronomètre le temps nécessaire, et c'est maintenant le tour de l'équipe suivante. L'équipe gagnante sera celle qui aura mangé la pomme le plus rapidement.

PAYSAGE ENNEIGÉ

Il n'est pas difficile de confectionner soi-même l'un de ces récipients magiques qui scintillent de façon si mystérieuse. Pour la décoration, cherchez de jolies petites figurines en plastique. Avec un peu d'imagination, vous pourrez même réaliser de magnifiques paysages ou d'amusants groupes de personnages.

1. Rincez abondamment le bocal et son couvercle et laissez-les bien sécher. Dans le couvercle, collez les figurines pour former une petite scène ou un paysage.

2. Pendant que la colle sèche, remplissez le bocal avec de l'eau et ajoutez autant d'étoiles scintillantes que vous le souhaitez.

3. Une fois la colle sèche, vissez le couvercle et assurez-vous que le bocal est bien rempli d'eau à ras bord. Sinon, ajoutez un peu d'eau.

4. Ouvrez une nouvelle fois le bocal et séchez soigneusement le bord extérieur ainsi que le couvercle, puis enduisez de colle les rainures du couvercle.

5. Fermez à présent définitivement le bocal et laissez la colle sécher pendant une heure. Vous pouvez ensuite retourner le bocal et admirer votre travail.

KALÉIDOSCOPE TOUT SIMPLE

Vous trouverez dans le commerce des kaléidoscopes de toutes les formes, mais tous présentent l'inconvénient d'être conçus sur le même modèle de base. En revanche, le kaléidoscope que voici montre à chaque fois quelque chose de différent.

1. Découpez un rectangle de carton de 10 x 8 cm.

2. Sur l'une des faces, collez une feuille d'aluminium et sur l'autre du papier de couleur.

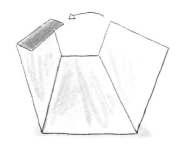

3. Pliez le côté long en trois bandes de 3 cm, en veillant à ce que la face argentée soit à l'intérieur.

4. Prenez la bande de 1 cm restante et appliquez de la colle sur sa face colorée. Pressez-la contre le bord libre.

5. Pour que la colle puisse sécher correctement, fixez les surfaces encollées à l'aide de trombones.

6. Vous obtenez un prisme à trois faces : lorsque vous déplacez l'un des deux côtés ouverts sur une image colorée et que vous regardez par l'autre côté, vous pouvez apprécier un spectacle très coloré et très original.

RIMES AUTOMNALES

Par ce chemin
est passé un petit lapin.
Celui-ci l'a vu
avec ses yeux.
Celui-ci l'a entendu
avec ses oreilles.
Celui-ci a couru après
avec ses jambes.
Celui-ci l'a attrapé
avec ses mains.
Celui-ci l'a mangé
avec ses dents.

KALÉIDOSCOPE TOUT SIMPLE

ÂGE :
à partir de 4 ans

MATÉRIEL :
du papier d'aluminium très réfléchissant (magasins de bricolage), du carton rigide, du papier de couleur, une règle, des ciseaux, de la colle, des trombones

ÂGE :
à partir de 6 ans

MATÉRIEL :
du carton de couleur,
du papier d'aluminium
très réfléchissant
(magasins de bricolage),
3 rouleaux en carton de
diamètres différents
(petit, moyen et grand),
du film
alimentaire, du papier
multicolore, des billes
de verre multicolores ou
d'autres petits objets,
du film adhésif,
du ruban adhésif,
des ciseaux, un cutter,
une règle

KALÉIDOSCOPE CYLINDRIQUE

Ce kaléidoscope est plus difficile à réaliser que le précédent. Les enfants auront besoin de l'aide d'un adulte. Veillez à acheter du papier d'aluminium de très bonne qualité, pour que la réflexion donne vraiment de jolis effets.

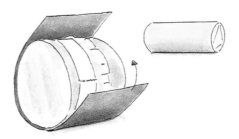

1. Commencez par réaliser un kaléidoscope simple en suivant les indications fournies à la page 77.

2. Introduisez-le dans le rouleau en carton de petit diamètre.

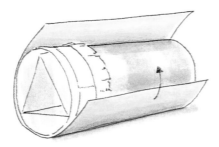

3. Sur les deux ouvertures de ce rouleau, tendez à présent du film alimentaire en veillant à ne faire aucun pli et fixez-le à l'aide de ruban adhésif. Collez du papier de couleur sur le pourtour du rouleau.

4. Dans le rouleau de diamètre supérieur, découpez au cutter une section de 5 cm de long. Recouvrez l'une des deux ouvertures de film alimentaire que vous collerez également avec du ruban adhésif. Collez ensuite du papier de couleur sur le pourtour de ce rouleau.

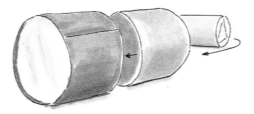

5. Dans le dernier rouleau, au diamètre moyen, découpez une section de 2 cm de large et glissez-la à l'intérieur du rouleau précédent.

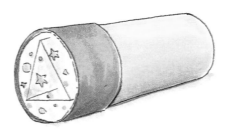

6. Introduisez des billes dans l'anneau le plus court, puis glissez-y le rouleau contenant le prisme. En tournant et déplaçant celui-ci, vous obtiendrez en permanence une image différente. Vous pouvez remplacer les billes par des trombones, des coquillages ou des petits objets brillants et varier ainsi à l'infini les effets obtenus.

BULLES DE SAVON

Tout le monde les apprécie : elles ravissent les petits et font rêver les grands. Voici comment en fabriquer d'énormes.

Préparer la solution savonneuse

Pour que les bulles de savon soient particulièrement belles et grosses, la solution savonneuse doit reposer deux jours afin d'être bien fluide. Procédez de la façon suivante :

Dans une marmite, mélangez du savon noir, de la colle à papier peint et du sucre, puis faites bouillir le mélange en remuant constamment. Lorsque le mélange arrive à ébullition, ôtez la marmite du feu et ajoutez un litre d'eau. Remuez jusqu'à ce que l'eau soit parfaitement mélangée au savon, puis laissez reposer la solution pendant deux jours.

Confectionner divers anneaux

1. Pour les petites bulles de savon, prenez un cure-pipe, donnez-lui la forme d'un cercle, puis fixez-le sur une petite baguette de bois. Si vous reliez deux cure-pipes, l'anneau sera un peu plus grand.

2. Pour les anneaux d'un diamètre compris entre 15 et 30 cm, découpez un morceau de fil de fer et donnez-lui la forme d'un cercle. Enveloppez ces anneaux d'une bande de gaze et fixez-les à une baguette ou une cuiller en bois qui servira de poignée.

Comment faire des bulles de savon

Cherchez un récipient plat suffisamment grand pour que vous puissiez y placer le plus grand des anneaux et versez-y la solution. Plongez l'anneau un bref instant dans celle-ci, puis soufflez lentement au travers de l'anneau.

Au début, vous devrez vous entraîner un peu. Ensuite, vous réussirez de magnifiques et gigantesques bulles de savon. À vous de jouer !

BULLES DE SAVON

ÂGE :
à partir de 4 ans
(avec l'aide d'un adulte)

PARTICIPANTS :
nombre indifférent

MATÉRIEL :
3/4 l de savon noir,
25 g de colle à papier
peint, 500 g de sucre,
1 l d'eau froide,
des baguettes ou
des cuillers en bois,
des cure-pipes, du fil
de fer, une bande
de gaze, une paire
de pinces

MOBILE SONORE

Qui a dit que les mobiles devaient impérativement être réalisés dans des matériaux poids plume ? Les éléments plus lourds peuvent eux aussi être mis en équilibre. Placez ce mobile à un endroit où le vent pourra le faire sonner.

1. Dans un magasin de bricolage, faites découper un disque de bois de 10 cm de diamètre. Demandez ensuite à un adulte de percer à sa circonférence avec la vrille huit trous à égale distance les uns des autres, qui permettront de passer la cordelette. Veillez à laisser un bord de 0,5 cm. Percez également un trou au centre du disque.

MOBILE SONORE

ÂGE :
à partir de 6 ans

MATÉRIEL :
un disque de bois
(ø 10 cm), une baguette
de bois (ø 3 cm,
longueur 20 cm),
des petites boîtes
métalliques vides sans
couvercle, de petits
bocaux en verre avec
couvercle à visser,
de la cordelette,
une vrille, des ciseaux,
un ouvre-boîtes avec
une pointe ou un gros
clou

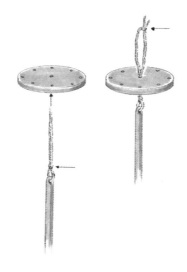

2. Faites un trou à 1 cm de l'une des extrémités de la baguette et passez-y un morceau de cordelette de 20 cm de long. À 2 cm, faites un nœud solide. Enfilez ensuite la cordelette dans l'orifice central du disque de bois. Au-dessus du disque, faites une grande boucle qui permettra de suspendre le mobile.

3. Rincez soigneusement les bocaux et les boîtes et ôtez les étiquettes. À l'aide d'un clou ou de la pointe d'un ouvre-boîtes, percez un trou dans le fond des boîtes et dans le couvercle des bocaux. Attention, percez toujours les trous bien au centre.

4. Pour mieux équilibrer le mobile, suspendez le disque de bois.

5. Découpez huit morceaux de cordelette d'environ 15 cm de long et faites de gros nœuds à l'une de leurs extrémités. Enfilez-les à présent dans les boîtes de manière à ce que les nœuds disparaissent à l'intérieur de celles-ci. Fixez les couvercles des bocaux de la même façon, puis vissez-les sur les bocaux.

6. Enfilez à présent les cordelettes dans les trous percés dans le disque de bois, puis nouez-les par-dessus. Veillez à répartir correctement les poids. Pour équilibrer votre mobile, raccourcissez certaines cordelettes. Vous pouvez remplacer les boîtes et les bocaux par des morceaux de bois différents, des rouleaux d'aluminium ou des bouteilles. Il vous suffira d'adapter le diamètre du disque de bois.

SUSPENSION
DES QUATRE SAISONS

Une année passe très rapidement, et il est agréable de se remémorer les événements qui se sont déroulés au cours de celle-ci. Pourquoi ne pas fabriquer cet anneau des quatre saisons, qui accompagnera les enfants au fil du temps ?

Partagez un cerceau de gymnastique en quatre parties égales que vous recouvrirez de bandes de papier crépon de différentes couleurs : vert pour le printemps, jaune pour l'été, marron pour l'automne et blanc pour l'hiver. Si vous avez pris une grosse branche plutôt qu'un cerceau, partagez-la en différentes sections que vous envelopperez également de bandes de papier crépon.

À l'aide d'une ficelle et d'un crochet, suspendez le cerceau ou la branche au plafond et, au fil des mois, accrochez-y, à des brins de laine multicolores, des objets trouvés dans la nature, de jolis bricolages ou des photos prises au cours de fêtes ou d'excursions.

Votre anneau des quatre saisons se remplira peu à peu et vous rappellera les événements vécus ou les découvertes faites au cours des douze mois écoulés.

SUSPENSION DES QUATRE SAISONS

ÂGE :
à partir de 4 ans

MATÉRIEL :
un cerceau de gymnastique ou une grosse branche à plusieurs rameaux, un crochet, de la ficelle, des bandes de papier crépon de couleur verte, jaune, brune et blanche, des brins de laine de différentes couleurs, des matériaux naturels comme des branches, des feuilles, etc., des photographies ou des bricolages, une paire de ciseaux

ROUE
EN COULEUR

ÂGE :
à partir de 4 ans

MATÉRIEL :
une vieille roue de vélo,
un bâton, de la laine,
des petites clochettes
ou plaques métalliques,
du papier-métal de
couleur, des ciseaux,
de la colle

ROUE EN COULEUR

Fouillez donc votre garage et vous trouverez bien une vieille roue de vélo qui attend le prochain passage des éboueurs. Avec un peu d'imagination, vous pourrez lui donner une nouvelle vie.

La roue nécessite probablement un sérieux nettoyage. Lorsque vous lui aurez donné un nouvel éclat avec de l'eau et un chiffon, vous pourrez entamer les opérations de décoration.

1. À cet effet, découpez la feuille de papier-métal en bandes de 5 cm de large que vous tressez entre les rayons. Lorsqu'une bande est terminée, collez la suivante et continuez à tresser jusqu'à ce que la roue soit entièrement recouverte.

2. À intervalles irréguliers, nouez des clochettes ou des plaquettes de métal à l'aide de brins de laine. Au centre de la roue, fixez une grosse touffe de papier crépon de toutes les couleurs.

Si vous êtes satisfait du résultat, placez la roue sur un chemin bien droit et poussez-la devant vous à l'aide d'un bâton : le papier-métal scintillera de mille feux et les clochettes tinteront de bonheur.

Peinture à l'orteil

Cette séance de peinture sera une vraie partie de plaisir, car il n'est vraiment pas simple de peindre avec les pieds. Cette technique originale requiert de bons muscles aux jambes et une excellente coordination.

Asseyez-vous pieds nus sur le sol devant une grande feuille de papier. Pour peindre avec les pieds, prenez le pinceau entre vos orteils. Si vous pouvez peindre avec des peintures au doigt, plongez votre gros orteil directement dans la peinture et servez-vous-en comme d'un pinceau !

Un endroit de rêve

Parfois, il est nécessaire de s'échapper de la réalité pour se plonger dans son monde imaginaire. À quoi ressemble-t-il donc ? Peut-être à celui réalisé par les enfants dans des boîtes à chaussures multicolores, en laissant libre cours à leur fantaisie ?

À quoi ressemble votre monde imaginaire ? Essayez de le construire dans une boîte à chaussures. S'il est doux ou confortable, vous pouvez peut-être employer de la mousse, de la laine et du tissu. Si, en revanche, vos rêves vous emmènent au sommet des montagnes, vous préférerez probablement des pierres.

Lorsque vous vous installerez devant votre paysage, vous pourrez imaginer des histoires passionnantes et garder en mémoire des aventures extraordinaires.

PEINTURE À L'ORTEIL

ÂGE :
à partir de 5 ans

PARTICIPANTS :
nombre indifférent

MATÉRIEL :
des grandes feuilles de papier, un gros pinceau par enfant, des peintures à l'eau ou à doigt, un chiffon humide pour nettoyer, des journaux ou des chiffons pour recouvrir le sol

UN ENDROIT DE RÊVE

ÂGE :
à partir de 4 ans

PARTICIPANTS :
nombre indifférent

MATÉRIEL :
une boîte à chaussures par enfant, du papier de couleur, des coquillages, des pierres, des plumes, de la mousse, des bâtons, du sable, des chutes de laine ou de tissu, etc., des ciseaux, de la colle

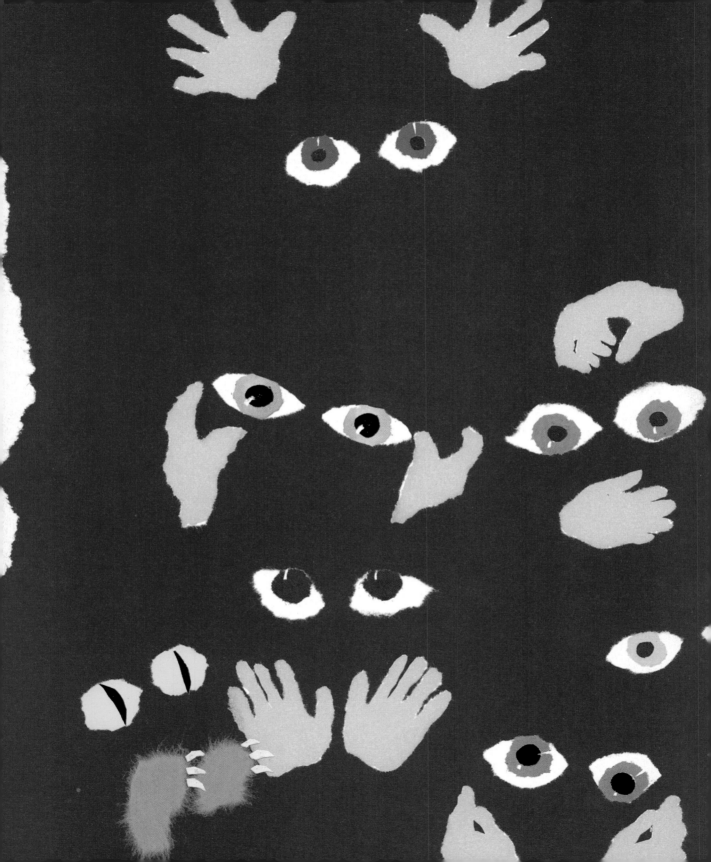

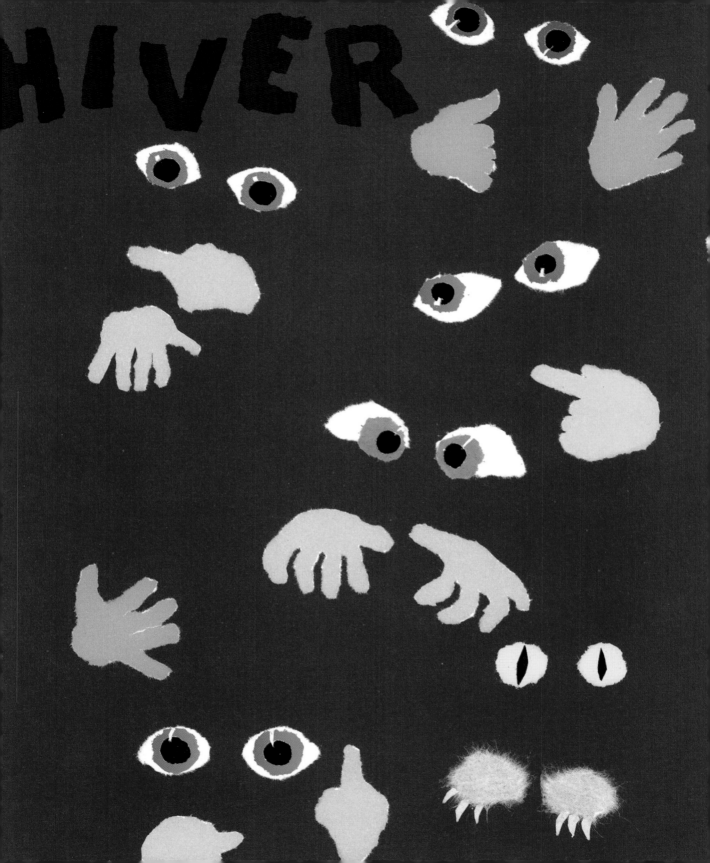

CHASSE À LA POULE

Lorsque la neige aura recouvert la terre de son manteau blanc, les enfants seront ravis de se vêtir chaudement pour un après-midi de jeu dans la poudreuse.

Avec le pied, tracez une «zone» dans la neige. Elle doit avoir dix pas de long et cinq de large. C'est la basse-cour. À partir du côté étroit, faites 15 pas et tracez une ligne. C'est la ligne de lancer.

Choisissez deux enfants qui seront les chasseurs et viendront se placer derrière la ligne de tir. Les autres sont les poules et se déplacent dans le poulailler. Les chasseurs essaient de « tuer » les poules avec des boules de neige. La poule qui est touchée vient se placer derrière le chasseur qui l'a visée.

Lorsque le poulailler est vide, comptez les poules pour connaître le vainqueur. Deux autres enfants peuvent alors s'essayer au tir de boules de neige.

ATTENTION, RISQUE D'ÉBOULEMENT !

Les pelles à neige sont déjà prêtes ? Pourquoi ne pas les utiliser pour construire une gigantesque montagne de neige ?

Bâtissez tous ensemble une grande montagne de neige. Vous pouvez bien sûr employer les pelles, mais aussi vous servir de vos mains. Au sommet, placez un petit bonhomme de neige.

À présent, retirez chacun à votre tour une pelletée de neige. Celui qui fera s'écrouler le bonhomme de neige aura perdu.

TIR DE BOULES DE NEIGE

Ce jeu requiert de la concentration et une certaine adresse, car il n'est pas très facile de toucher une boule de neige avec une autre.

Tous les enfants prennent une boule de neige dans la main. L'un d'entre eux lance sa boule le plus haut possible à la verticale, puis s'écarte rapidement, tandis que les autres tentent de toucher cette boule avec la leur.

Le lanceur qui réussit à désintégrer la boule de neige peut à présent lancer sa boule en l'air pour ses camarades.

GARE AU LOUP !

Ce jeu ne doit pas obligatoirement avoir lieu dans la neige, mais les enfants auront grand plaisir à s'y jeter après une course effrénée.

Avant de commencer le jeu, déterminez un endroit bien visible, par exemple un tas de neige ou un arbre, qui servira de refuge. Choisissez un loup qui ira se cacher. Les autres enfants restent les yeux fermés au refuge pendant qu'un enfant ou un adulte compte jusqu'à 20. Ils se dispersent ensuite dans toutes les directions pour chercher le loup. Dès qu'un joueur l'a découvert, il crie « Gare au loup ! » Tous les enfants s'élancent aussi vite que possible vers le refuge.

Le joueur touché par le loup est attrapé. Mais celui qui réussit à atteindre le refuge est en sécurité et ne peut plus être attrapé. Les enfants deviennent eux aussi des loups dès l'instant où ils sont attrapés. Chaque loup peut se cacher dans un endroit différent. Le jeu se termine lorsque tous les enfants sont transformés en loups.

TIR DE BOULES DE NEIGE

ÂGE :
à partir de 5 ans

PARTICIPANTS :
2 enfants minimum

MATÉRIEL :
aucun

GARE AU LOUP !

ÂGE :
à partir de 4 ans

PARTICIPANTS :
5 enfants minimum

MATÉRIEL :
aucun

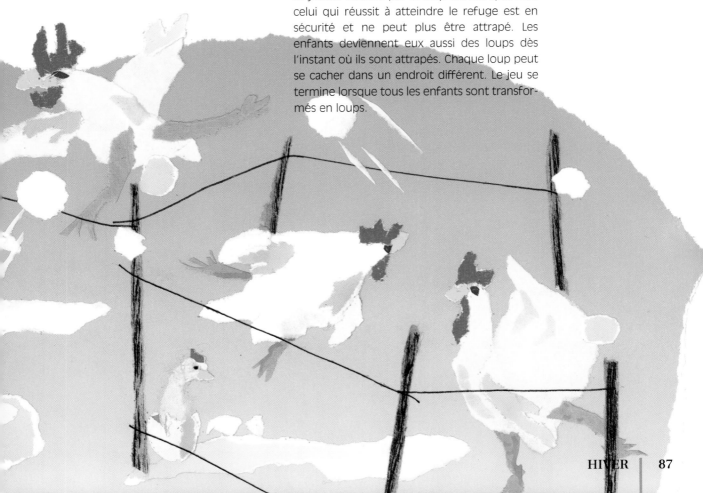

*QUI TIRERA
DANS LE MILLE ?*

ÂGE :
à partir de 4 ans

PARTICIPANTS :
2 enfants minimum

MATÉRIEL :
une cible en carton ou
en contreplaqué
(format : environ
50 x 50 cm)

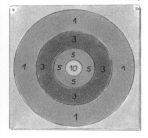

SLALOM EN LUGE

ÂGE :
à partir de 4 ans

PARTICIPANTS :
4 enfants minimum,
un adulte pour
chronométrer

MATÉRIEL :
des luges,
des bâtons,
un chronomètre ou
une montre munie
d'une trotteuse

QUI TIRERA
DANS LE MILLE **?**

Ce jeu requiert lui aussi une certaine adresse. Il peut convenir à la fois aux grands et aux petits, pour autant que vous adaptiez la distance de tir à l'âge des joueurs.

Dessinez sur le carton ou le contreplaqué une cible composée de 4 cercles concentriques. Le diamètre du cercle extérieur doit être d'environ 50 cm. Accrochez la cible à un arbre. Déterminez la distance de tir et tracez à cet endroit une ligne dans la neige.

À partir de cette ligne, les enfants lancent chacun à leur tour une boule de neige et tentent d'atteindre la cible. Le cercle central rapporte 10 points, le deuxième 5 points, le troisième 3 points et le cercle extérieur 1 point seulement. Le vainqueur est le premier à totaliser 30 points. Les enfants qui ne savent pas encore compter reçoivent deux boules de neige à chaque fois qu'ils frappent dans le mille et une boule de neige à chaque fois qu'ils atteignent la cible à l'extérieur du cercle central. Vous pouvez également réaliser une cible composée d'un seul cercle. Le vainqueur est alors celui qui totalise le plus de lancers réussis à la fin du jeu.

Variante

Vous pouvez également disposer des boîtes et des bouteilles qu'il faut renverser, ou dessiner directement la cible dans la neige.

SLALOM EN LUGE

Une partie de luge ne doit pas nécessairement se dérouler sur une colline. Si la couche de neige est suffisamment épaisse, vous pouvez organiser un véritable slalom en luge sur une plaine.

Avec les bâtons, marquez la ligne de départ et le parcours du slalom. Attention, ne placez pas les bâtons trop près les uns des autres afin de pouvoir les contourner aisément. Si vous ne trouvez pas suffisamment de bâtons, utilisez des boîtes en carton ou de grosses boules de neige.

Il ne vous reste plus qu'à déterminer qui se chargera du chronomètre, et la première équipe peut s'élancer : à vos marques, prêts, partez ! Un enfant tire le traîneau, sur lequel est assis un de ses camarades, tout le long du parcours et revient à la ligne de départ. Notez le temps réalisé. L'équipe suivante peut à présent prendre le départ.

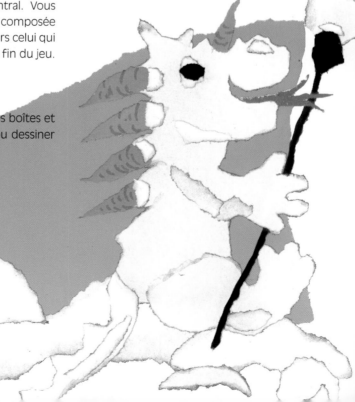

MONSTRES DES NEIGES

Pourquoi ne pas donner un peu de compagnie à ce bon vieux bonhomme de neige ? Espérons qu'il n'aura pas peur de ces monstres de neige et de glace !

Répartissez-vous en petits groupes et construisez un dragon des neiges ou d'autres monstres. Des bâtons et des pierres représenteront les yeux, le nez ou un épouvantable long museau. Lorsque vous aurez terminé, il ne vous restera plus qu'à baptiser vos monstres des neiges et à les présenter aux autres enfants.

LA PLUS GROSSE

À la vue de la prairie fraîchement enneigée, les enfants ne seront pas les seuls à vouloir réaliser une gigantesque boule de neige.

Donnez le départ de ce concours où chaque enfant essaie de confectionner la plus grosse boule de neige possible. Attention, la prairie dans laquelle se déroule le concours doit être suffisamment enneigée. Au bout de 5 minutes, mesurez la circonférence des boules à l'aide du mètre à ruban. Qui réalisera la plus grosse ? Si vous le souhaitez, vous pouvez également confectionner un bonhomme de neige avec ces boules et le décorer avec des pommes de terre, une carotte, un seau et un balai.

MONSTRES DES NEIGES

ÂGE :
à partir de 4 ans

PARTICIPANTS :
2 enfants minimum

MATÉRIEL :
divers bâtons et pierres

LA PLUS GROSSE

ÂGE :
à partir de 4 ans

PARTICIPANTS :
2 enfants minimum

MATÉRIEL :
un mètre à ruban,
des pommes de terre
ou des pierres,
une carotte, un seau ou
un chapeau, un balai

Trois souris en habit gris
Trois canards en robe du soir
Trois jeunes chiens en peau de lapin
Trois jeunes chats en bas de soie
Sont allés se promener
Avec deux petits cochons
Coiffés de chapeaux melons
Mais la pluie vint à tomber
Alors ils sont tous rentrés
À la maison

**SUIVRE
À LA TRACE**

ÂGE :
à partir de 4 ans

PARTICIPANTS :
2 enfants minimum
et éventuellement
un adulte meneur
de jeu

MATÉRIEL :
divers objets comme
un tournevis,
une grande auto
en plastique, une pelle
à sable

SUIVRE À LA TRACE

Partez d'abord avec les enfants à la recherche d'empreintes dans la nature. Puis organisez votre propre jeu de piste. Pour que les empreintes soient bien reconnaissables, la neige ne doit ni être trop épaisse ni trop poudreuse. Avant le début du jeu, montrez aux plus jeunes enfants les objets dont ils doivent identifier les empreintes.

Rassemblez quelques objets aux contours marquants. Le premier enfant prend un objet et l'imprime dans la neige, pendant que les autres gardent les yeux fermés. Réussiront-ils à deviner quel objet a laissé cette trace ? Le premier à trouver pourra réaliser l'empreinte suivante.

LE LIÈVRE DES NEIGES

Ce jeu amusant ressemble aux courses de sacs pratiquées durant l'été. Vous constaterez que, dans la neige également, seuls de grands sauts vous permettent d'avancer. La poudreuse est la neige qui convient le mieux à ce genre d'exercice.

Dessinez la ligne de départ et déterminez la ligne ou le point d'arrivée, par exemple, l'arbre le plus proche. Placez-vous les uns à côté des autres et faites la course en sautant à pieds joints jusqu'à l'arrivée.

RIMES HIVERNALES

Un et un, deux
Un lapin sans queue.
Deux et deux, quatre
Un lapin sans pattes.
Quatre et trois, sept
Un lapin sans tête.
Et voilà une bête
Qui n'a ni queue ni tête.

PROMENADE HIVERNALE DU MILLE-PATTES

Ce jeu ravira à la fois grands et petits. En effet, le mille-pattes constitué par les enfants rangés par ordre de taille est particulièrement amusant à regarder.

Mettez-vous en file indienne et passez vos bras autour du ventre de l'enfant qui est situé juste devant vous. Le premier enfant constitue la tête de l'animal. Tous doivent suivre ses mouvements sans que le mille-pattes se brise. Lorsque tout le monde est tombé au moins une fois dans la neige lors des changements brutaux de direction, un autre enfant peut prendre la tête de la file.

LE LIÈVRE DES NEIGES

ÂGE :
à partir de 4 ans

PARTICIPANTS :
2 enfants minimum

MATÉRIEL :
aucun

PROMENADE HIVERNALE DU MILLE-PATTES

ÂGE :
à partir de 4 ans

PARTICIPANTS :
4 enfants minimum

MATÉRIEL :
aucun

GÂTEAU GLACÉ

INGRÉDIENTS
POUR 8 PERSONNES :
180 g de graisse de coco,
9 cuillerées à soupe de
sucre, 3 cuillerées à
soupe de cacao, 2 œufs,
1 paquet de biscuits
au beurre, un petit
paquet de glaçage,
du vermicelle
multicolore
en sucre, pour
la décoration,
une casserole,
une cuiller en bois,
un moule, du papier
sulfurisé

Ce gâteau d'anniversaire est le chouchou de nombreux enfants, car son aspect chocolaté met vraiment l'eau à la bouche. Accompagné d'une tasse de chocolat chaud, il sera le bienvenu lors d'un après-midi d'hiver froid et ensoleillé.

1. Mettez la graisse de coco dans une casserole et faites-la fondre complètement. Attention, elle devient très chaude !

2. Versez à présent le sucre dans la casserole et mélangez prudemment le tout. Lorsque le mélange est parfaitement homogène, ôtez la casserole du feu.

3. Laissez refroidir un peu le mélange avant d'incorporer les œufs et la poudre de cacao et de remuer le tout vigoureusement.

4. Placez du papier sulfurisé dans le moule et disposez une couche de biscuits sur le fond. Versez ensuite une mince couche de crème au chocolat. Alternez les couches de biscuits et de crème jusqu'à épuisement des ingrédients.

5. Laissez le gâteau un jour entier au réfrigérateur, jusqu'à ce que la crème soit parfaitement figée. Sortez-le ensuite du moule, versez le glaçage liquide, puis décorez le gâteau avec des vermicelles en sucre multicolores.

Parcours d'obstacles

Les enfants ont besoin de bouger. Si vous avez déjà eu à organiser le programme d'un week-end pluvieux, vous en savez quelque chose. Après une phase de défoulement, les enfants sont de nouveau à même de se concentrer et de s'occuper dans le calme.

Le mieux est d'organiser ce jeu remuant dans votre chambre si elle n'est pas trop petite. Enlevez tous les objets précieux ou fragiles avant de commencer à jouer, afin de pouvoir donner libre cours à votre enthousiasme. Avec des chaises, des tabourets et des tables, élaborez un parcours d'obstacles : vous devrez monter sur une chaise, ramper sous une table ou vous déplacer prudemment sur plusieurs chaises… Devinez lequel d'entre vous a la plus grande endurance.

Variante

Vous pouvez également jouer par équipes de deux. L'un des enfants ferme les yeux et l'autre le guide en lui indiquant le parcours.

Le commandant des chaises

Il est vraiment exaltant de quitter le plancher des vaches sans faire aucun effort.

Un enfant s'assied sur une chaise et les autres se placent autour de lui. Ils soulèvent la chaise tous ensemble et la déplacent selon les consignes du commandant de bord : la chaise vole vers la gauche, puis décrit une courbe vers la droite. Balancez-la doucement ou faites-la «tomber» dans un trou d'air. Au bout d'un moment, faites-la atterrir sur le sol. C'est alors au tour d'un autre joueur de prendre les commandes.

PARCOURS D'OBSTACLES

ÂGE :
à partir de 4 ans

PARTICIPANTS :
2 enfants minimum

MATÉRIEL :
des chaises, une table, etc., un chronomètre ou une montre munie d'une trotteuse

LE COMMANDANT DES CHAISES

ÂGE :
à partir de 5 ans

PARTICIPANTS :
5 enfants minimum

MATÉRIEL :
une chaise solide

TOBOGGAN
À BILLES

ÂGE :
à partir de 5 ans

PARTICIPANTS :
2 enfants minimum

MATÉRIEL :
des billes
des rouleaux de carton,
des bandes de papier
adhésif,
éventuellement,
un chronomètre ou
une montre avec
une trotteuse

TOBOGGAN À BILLES

Si vous voulez construire un long circuit de billes, prévenez assez tôt les amis et les voisins, afin de récolter un nombre suffisant de rouleaux en carton.

Un escalier est l'endroit idéal pour installer un toboggan à billes. Commencez par préparer le tuyau en assemblant les rouleaux en carton avec du ruban adhésif. Fixez le tuyau à la rampe et, à son extrémité, placez un récipient pour récupérer les billes.

Votre toboggan à billes est à présent terminé. Introduisez la première bille par le haut du tuyau. Observez combien de temps elle met pour dévaler l'escalier et testez ensuite différentes billes. Lesquelles sont les plus rapides, lesquelles sont les plus lentes ? Si vous voulez connaître le temps précis, vous pouvez chronométrer la descente.

BASKET-BALL
DANS L'ESCALIER

Un escalier peut constituer une merveilleuse aire de jeu, pour autant que les voisins ne soient pas trop sensibles au bruit... ou soient absents. Naturellement, un escalier extérieur conviendra aussi parfaitement à ce jeu.

Placez un seau au bas de l'escalier et montez trois marches. De là, essayez de lancer la balle dans le seau. Chaque enfant a droit à trois essais. Si vous y arrivez, reprenez la balle, montez une marche supplémentaire et attendez que ce soit de nouveau votre tour. Le premier qui atteint la dernière marche a gagné.

Variante pour les plus habiles

Avant que la balle tombe dans le seau, l'enfant doit avoir sauté une marche minimum. Pour y parvenir, il est nécessaire de tirer encore plus précisément et de savoir exactement avec quelle force lancer la balle.

BASKET-BALL
DANS L'ESCALIER

ÂGE :
à partir de 6 ans

PARTICIPANTS :
2 enfants minimum

MATÉRIEL :
un seau,
3 balles en plastique
de taille moyenne

QUESTION D'ÉQUILIBRE

Il ne s'agit pas ici d'être rapide, mais de faire preuve d'un sens aigu de l'équilibre et de marcher bien droit. Profitez de ce jeu pour parler aux enfants de leur maintien.

Placez-vous en équipes de deux en haut de l'escalier et posez un livre sur votre tête. Combien de marches pourrez-vous descendre sans devoir vous aider de vos mains ou sans que le livre tombe ?

QUESTION D'ÉQUILIBRE

ÂGE :
à partir de 5 ans

PARTICIPANTS :
2 enfants minimum

MATÉRIEL :
2 livres usagés

VISE LA MARCHE !

Ce jeu exerce l'habileté et les capacités de réaction. Choisissez une balle souple afin que les essais ratés ne puissent blesser personne.

Placez-vous sur l'avant-dernière marche d'un escalier droit et lancez la balle l'un après l'autre. Visez d'abord la première marche devant vous, puis la deuxième, puis la troisième. Si la balle rebondit sur une mauvaise marche ou si vous n'arrivez pas à la rattraper, c'est au tour du suivant de faire la preuve de son habileté. Attendez votre tour et recommencez là où vous avez échoué. Qui atteindra le premier la marche la plus haute ?

ÉPREUVE DE DRESSAGE

Pour que les cavaliers et les spectateurs puissent se concentrer parfaitement sur les exercices, l'épreuve de dressage se déroulera un jour de mauvais temps dans le grenier ou dans la buanderie.

Le balai représente le cheval et les enfants sont les cavaliers. Tous participent à cette épreuve de dressage qui est axée principalement sur l'élégance et l'harmonie.

Réfléchissez à diverses suites de pas et d'allures qui se combinent parfaitement les unes avec les autres. À tour de rôle, les enfants jouent le rôle du cavalier et présentent leur exercice de dressage sous les applaudissements des spectateurs.

BALLE AU PANIER

Si le temps le permet, vous pouvez dessiner une aire de jeu à la craie et utiliser une véritable balle de basket.

Déterminez d'abord l'aire de jeu.

Avec un journal, confectionnez une boule de la taille d'une balle de tennis. Formez deux équipes et dispersez-vous sur l'aire de jeu. S'il y a un enfant de trop, il sera l'arbitre.

Une fois que vous avez attribué un terrain à chaque équipe, le jeu peut commencer. Le but est de lancer la balle le plus souvent possible dans le panier de l'équipe adverse. Le joueur qui a la balle dans la main peut faire un seul pas avant de lancer la balle à l'un de ses coéquipiers. Naturellement, les adversaires tenteront d'intercepter celle-ci afin de marquer eux-mêmes un panier. Lorsqu'une équipe a réussi à lancer la balle dans le panier de l'équipe adverse, elle marque un point qui sera noté sur le panneau d'affichage.

LANCER DE POIDS EN COTON

Naturellement, une boule de coton hydrophile n'est pas une boule de neige. Mais vous verrez que les enfants prendront tout autant plaisir à jouer avec cette boule poids plume.

Avec le coton hydrophile, confectionnez une boule de la taille d'un poing. Marquez ensuite la ligne de lancer avec une corde. Essayez de lancer le poids en coton le plus loin possible.

BALLE AU PANIER

ÂGE :
à partir de 4 ans

PARTICIPANTS :
4 enfants minimum

MATÉRIEL :
2 corbeilles à papier
ou 2 seaux, un journal,
du papier, un crayon

*LANCER DE POIDS
EN COTON*

ÂGE :
à partir de 4 ans

PARTICIPANTS :
2 enfants minimum

MATÉRIEL :
du coton hydrophile,
une corde

QUI EST L'ASSASSIN ?

ÂGE :
à partir de 7 ans

PARTICIPANTS :
4 enfants minimum

MATÉRIEL :
1 jeu de cartes

Ce jeu requiert l'intuition et le sens de la déduction de Sherlock Holmes. Des questions permettront de démasquer l'assassin, mais celui-ci ne dira pas toujours la vérité...

Un jeu de cartes permettra d'attribuer un rôle à chacun d'entre vous. Prévoyez une carte par enfant, dont un as et un valet.

Chaque enfant tire une carte. Le joueur qui tire l'as est le commissaire et se fait connaître. Celui qui tire le valet est l'assassin, mais il garde le secret pour lui. Le commissaire quitte la pièce. Les autres éteignent la lumière et se déplacent dans la pièce. Le meurtrier cherche une victime. Quand il l'a trouvée, elle se couche en criant : « À l'aide, à l'assassin ! » Les autres joueurs restent sur place.

Le commissaire qui a entendu les cris se précipite sur les lieux du crime et rallume la lumière. Le commissaire commence à poser des questions : « Où étiez-vous à l'heure du crime ? Avez-vous entendu les cris tout près de vous ou le meurtre s'est-il passé loin de vous ? » Pour répondre aux questions, seul l'assassin peut mentir, les autres doivent dire la vérité. Ce jeu sera particulièrement intéressant si vous jouez le jeu en adoptant certains traits de caractère et si vous vous montrez particulièrement froids, hystériques ou arrogants.

Lorsque le commissaire a découvert l'auteur du crime, mélangez de nouveau les cartes et le jeu peut recommencer.

LE RAYON MAGIQUE

Avant le début du jeu, demandez aux enfants s'ils ont envie de jouer dans l'obscurité. En effet, même les plus grands peuvent être effrayés à l'idée de perdre leurs repères dans une pièce sombre.

Obscurcissez au maximum la pièce. Donnez une lampe de poche à l'enfant qui sera le magicien. S'il réussit à éclairer le visage d'un de ses camarades, celui-ci est ensorcelé et ne peut plus bouger. Les enfants peuvent se délivrer mutuellement en rampant entre les jambes d'un joueur immobile. Mais attention, si le sauveteur reçoit le rayon lumineux dans la figure, il est pétrifié à son tour.

Ce jeu sera d'autant plus intéressant qu'il y aura beaucoup de meubles dans la pièce, derrière lesquels les joueurs pourront se cacher. Ainsi, la tâche du magicien sera plus compliquée, car il ne pourra éclairer ses victimes à partir d'un point fixe, mais devra se déplacer dans la pièce.

SOUFFLER LES BOUGIES

Les enfants plus âgés pourront allumer eux-mêmes les bougies. Si les enfants sont très jeunes, c'est un adulte qui s'en chargera. Dans tous les cas, un adulte devra rester en permanence dans la pièce.

Placez des bougies pour chauffe-plat les unes contre les autres. Allumez-les. Chacun à leur tour, les joueurs tenteront d'éteindre toutes les bougies en soufflant une seule fois. Il est peu probable qu'ils y parviennent, mais qui éteindra le plus de bougies ?

LE RAYON MAGIQUE

ÂGE :
à partir de 5 ans

PARTICIPANTS :
4 enfants minimum

MATÉRIEL :
une lampe
de poche

SOUFFLER
LES BOUGIES

ÂGE :
à partir de 4 ans

PARTICIPANTS :
2 enfants minimum
et un adulte

MATÉRIEL :
20 bougies pour
chauffe-plat,
des allumettes

QUI TROUVERA LA GROTTE DE L'OURS ?

Commencez par expliquer aux enfants que, une fois plongés dans l'obscurité, les yeux mettent un certain temps à s'adapter. Au bout d'un moment d'adaptation, ils parviennent à distinguer les contours des objets ou la silhouette des personnes. Les autres sens, notamment l'ouïe, peuvent également nous aider à prendre nos repères dans le noir.

La maison ou l'appartement est totalement plongé dans l'obscurité. Un enfant joue le rôle de l'ours et se cherche une caverne. Les autres comptent lentement jusqu'à 30, puis partent à sa recherche. Le premier qui trouve l'ours s'assied sans bruit à côté de lui et attend que tous aient découvert la cachette. Au tour suivant, le joueur qui a été le plus rapide sera l'ours.

LES VACHES ÉGARÉES

Les vaches ont échappé à la vigilance du fermier, et celui-ci doit partir à leur recherche au milieu de la nuit. Pour les retrouver, il ne peut se fier qu'à son ouïe.

Vous êtes les vaches. Attachez-vous une clochette à votre cheville à l'aide d'un élastique. À présent, éteignez la lumière et essayez de vous déplacer le plus silencieusement possible. Le fermier, qui ne porte pas de clochettes, tente de s'approcher de vous et de vous attraper. Les vaches attrapées s'assoient sur le côté et attendent que le fermier ait rassemblé tout son troupeau.

Chasse au fantôme

Il est minuit au château hanté. Dans la nuit noire, un enfant téméraire part à la recherche du fantôme du château, qui apparaît une fois le soleil couché.

Au centre d'un vieux drap, découpez deux trous pour les yeux. Préparez ensuite un papier pour chaque enfant. Sur l'un d'entre eux, inscrivez, « Fantôme », sur l'autre « Comte Sanspeur » ou « Comtesse Risquetout » et, sur le reste, « Chevalier » ou « Gente dame ». Mélangez les papiers. Demandez aux enfants d'en tirer chacun un sans révéler son contenu. Seul le Comte Sanspeur se fait connaître. Il attend dans la seule pièce sans fantôme que tous les autres se cachent et compte lentement jusqu'à 30.

Toutes les lumières sont éteintes. Le fantôme se déguise sans que les autres enfants le remarquent et cherche une cachette. Tous les autres vont également se cacher. Le comte Sanspeur commence ses recherches. S'il ren-

contre une gente dame ou un chevalier, ils échangent leurs rôles. Le nouveau comte se met en quête tandis que l'ancien peut se reposer dans sa cachette. Celui qui rencontre le fantôme pousse un grand cri d'épouvante et reste sur place. Pour échapper au fantôme désormais réveillé, les autres se glissent lentement et sans faire de bruit vers la pièce qui n'est pas hantée. S'ils parviennent à l'atteindre, ils sont libres, sinon, ils sont capturés par le fantôme qui les emmène dans sa cachette.

Le jeu se termine lorsque tous ont été capturés ou ont pu se mettre à l'abri dans la pièce non hantée.

**CHASSE
AU FANTÔME**

ÂGE :
à partir de 7 ans

PARTICIPANTS :
4 enfants minimum

MATÉRIEL :
un papier par enfant,
un vieux drap pour
le déguisement

LE DÉTECTIVE
À LA LAMPE
DE POCHE

ÂGE :
à partir de 5 ans

PARTICIPANTS :
4 enfants minimum

MATÉRIEL :
une lampe de poche

LE DÉTECTIVE À LA LAMPE DE POCHE

Une lampe de poche est un accessoire important pour un détective et peut devenir un jouet aux multiples possibilités pendant un après-midi d'hiver. Mais il n'est pas si évident d'y voir quelque chose quand la lumière s'allume un bref instant seulement.

Assombrissez la pièce. Confiez la lampe de poche à un enfant immobile, tandis que les autres se déplacent dans la pièce. De temps en temps, le détective allume brièvement sa lampe en la tenant fermement dans la main pour que le rayon lumineux ne bouge pas.

Le détective éteint de nouveau sa lampe et énonce le nom des enfants dont il a nettement vu le visage. Les joueurs qui ont été découverts, s'assoient par terre sur le côté, tandis que les autres continuent à se mouvoir dans l'obscurité jusqu'à ce que le détective rallume sa lampe.

Le dernier enfant à être découvert peut jouer le rôle du détective au tour suivant.

PEINTURE
À LA LUMIÈRE

ÂGE :
à partir de 7 ans

PARTICIPANTS :
2 enfants minimum

MATÉRIEL :
une lampe de poche

PEINTURE À LA LUMIÈRE

Ce jeu de lumière constitue une excellente façon de revoir de façon distrayante les lettres et les chiffres que les jeunes enfants viennent d'apprendre.

Obscurcissez la pièce et allongez-vous tous sur le dos. L'un d'entre vous reçoit une lampe de poche et doit dessiner une forme au plafond. Les autres parviendront-ils à deviner de quoi il s'agit ?

DANSE AVEC
LA LUMIÈRE !

ÂGE :
à partir de 4 ans

PARTICIPANTS :
4 enfants minimum

MATÉRIEL :
une lampe de poche,
un drap,
éventuellement de
la musique

Commencez par des formes simples comme un cercle ou un triangle. Lorsque vous aurez un peu d'entraînement, vous pouvez essayer des choses plus difficiles, comme une maison, un arbre ou une auto.

DANSE AVEC LA LUMIÈRE !

Passez de la musique très douce et demandez aux enfants d'être très calmes. Ce jeu créera une atmosphère propice à la détente et à la relaxation.

Tendez un grand drap blanc à travers une pièce obscurcie. Un enfant se place derrière le drap et déplace la lampe de poche allumée tout contre celui-ci. Un autre enfant, de l'autre côté du drap, essaie de suivre les mouvements de la lumière avec la main. Sans parler, les enfants vont tâcher de trouver une chorégraphie lumineuse harmonieuse. Les autres assistent au spectacle pendant un moment, puis peuvent essayer à leur tour.

THÉÂTRE D'OMBRES

Lorsque les enfants n'ont plus envie de danser avec la lumière, vous pouvez leur proposer de jouer une pièce de théâtre.

Pour ce jeu, vous avez également besoin d'un grand drap blanc tendu au travers de la pièce. Placez la lampe de poche sur une chaise de manière à ce que la plus grande partie du drap soit éclairée et installez-vous devant l'écran. L'un après l'autre, chaque acteur se rend derrière le drap et mime quelque chose. Vous pouvez décider de représenter diverses façons de se déplacer : par exemple, courir vite, sautiller joyeusement ou se traîner de fatigue. Vous pouvez aussi représenter des disciplines sportives comme le lancer du javelot, l'haltérophilie ou le football.

Les autres réussiront-ils à deviner ? Lorsque vous aurez suffisamment d'entraînement et que les spectateurs parviendront à deviner ce que vous faites, vous pouvez inventer chacun une petite histoire ou étudier une petite scène par équipes de deux .

DESSINE-MOI UN BONHOMME DE NEIGE !

Les enfants réussiront-ils à placer le haut-de-forme sur la tête du bonhomme ou le nez au milieu de sa figure ? Ce jeu favorise le sens de l'orientation et les capacités de coordination dans l'obscurité.

Ce jeu se déroule dans une pièce sombre. Formez un cercle et placez une feuille de papier kraft au centre. Chaque enfant reçoit une lampe de poche et de la craie et éclaire brièvement le papier. Ensuite, il éteint sa lampe et, dans le noir, dessine la tête du bonhomme de neige. Puis c'est au tour du suivant. En allumant sa lampe, il s'informe sur la taille et la position du dessin commencé, éteint la lumière et dessine le corps dans l'obscurité.

La lampe de poche passe de main en main jusqu'à ce que le dessin soit terminé. Il ne vous reste plus qu'à rallumer la lumière et à admirer l'œuvre collective.

THÉÂTRE D'OMBRES

ÂGE :
à partir de 4 ans

PARTICIPANTS :
4 enfants minimum

MATÉRIEL :
une lampe de poche,
un drap

DESSINE-MOI UN BONHOMME DE NEIGE !

ÂGE :
à partir de 4 ans

PARTICIPANTS :
4 enfants minimum

MATÉRIEL :
une lampe de poche,
de la craie blanche,
une grande feuille
de papier kraft

Dracula

Ce jeu très simple peut habituer graduellement les enfants peureux à l'obscurité. Au départ, laissez une ou deux lampes allumées, puis éteignez-les progressivement.

Vous pouvez soit jouer dans l'obscurité, soit fermer les yeux. L'un d'entre vous est le vampire et tente de transformer tous les autres en vampire en les touchant à l'épaule. Lorsque vous êtes « mordu », attaquez-vous à une autre victime. Lorsque deux vampires se rencontrent et se « mordent » mutuellement, ils redeviennent normaux.

La danse des flammes

De tous temps, les feux de Bengale ont exercé une grande fascination en créant des ambiances réussies. Toutefois, ils présentent un certain risque. Vous devez donc veiller à ce que les enfants ne les tiennent pas trop près de leurs vêtements.

Ce jeu est particulièrement intéressant en soirée quand l'obscurité s'installe peu à peu. Demandez à un adulte d'allumer une bougie. Pendant un moment, écoutez une musique douce et concentrez votre regard sur la flamme. Chaque enfant allume ensuite son premier feu de Bengale et, lorsque tous tiennent leur feu étincelant dans la main, éteignez la bougie et dansez dans la pièce au son de la musique.

Peu avant que le feu de Bengale ne s'éteigne, allumez-en un autre avec le premier. Recommencez alors à danser et admirez les gerbes d'étincelles qui dansent en rythme.

Chiens méchants

Super, une bataille de coussins ! Le mieux est d'organiser ce jeu dans un endroit où les enfants pourront déployer toute leur énergie sans craindre de casser quelque chose.

Répartissez des coussins dans la pièce. Attrapez-en un et jetez-le sur l'un de vos camarades en essayant de l'atteindre au derrière. Celui qui est touché se couche sur le sol. Pour pouvoir se relever, il doit toucher son adversaire au même endroit.

Lorsque tous les enfants sont hors d'haleine, ils ont bien mérité une pause. Chacun d'entre eux prend un coussin, s'étend sur le sol et écoute les battements de son cœur ralentir progressivement et son souffle se régulariser.

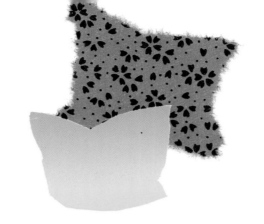

CHIENS MÉCHANTS

ÂGE :
à partir de 4 ans

PARTICIPANTS :
3 enfants minimum

MATÉRIEL :
des coussins

Attrape le coussin !

Après une bataille de coussins, ce jeu requiert un peu de concentration et d'adresse.

Formez des équipes de deux et asseyez-vous face à face en étendant les jambes. Vos pieds doivent se trouver à un mètre de distance des pieds de votre équipier. Lancez-vous un coussin et essayez de l'attraper. Cet exercice est assez facile. Essayez maintenant d'attraper le coussin avec les pieds. Quelle équipe réussira à lancer et à rattraper le coussin de cette manière ?

ATTRAPE LE COUSSIN !

ÂGE :
à partir de 4 ans

PARTICIPANTS :
2 enfants minimum

MATÉRIEL :
un coussin par équipe de deux

LA DANSE DES COUSSINS

Dans certains pays, les gens portent de lourdes charges sur la tête. Dans ce jeu, il ne s'agit que de coussins légers. Et ce sera bien suffisant, car les porter nécessitera une grande maîtrise corporelle.

Placez le coussin sur votre tête et déplacez-vous au son de la musique sans le faire tomber. Lorsque vous aurez le sentiment de vous déplacer relativement aisément, cherchez un partenaire et dansez par deux. Bougez au rythme de la musique en vous prenant par les épaules dos contre dos ou derrière contre derrière. Réussirez-vous à garder le coussin sur la tête ?

Variante

Placez le coussin sur un bâton et essayez toutes sortes de tours d'adresses. Par exemple, accroupissez-vous ou tournez sur vous-même le plus rapidement possible, les bras tendus. Qui réussira à lancer le coussin avec le bâton et à le rattraper de la même manière ?

SILHOUETTES EN COUSSINS

Peut-être les enfants trouveront-ils difficile au début de reconnaître les silhouettes, mais, avec le temps, ils aiguiseront leur sens du toucher et réussiront à réaliser des figures complexes.

Un enfant pense à un objet ou à un animal et tente de le représenter avec un coussin plat ou à l'aide de coussins de différentes tailles. Les autres enfants doivent deviner de quoi il s'agit. Le joueur qui y parvient peut représenter la figure suivante.

Variante pour professionnels du coussin

Un enfant ôte ses chaussures et ses chaussettes et sort de la pièce, pendant que les autres réalisent une figure avec un ou plusieurs coussins. Faites entrer l'enfant, qui garde les yeux fermés. Conduisez-le à votre « œuvre ». Réussira-t-il à reconnaître ce que vous avez fait uniquement avec les mains et les pieds ?

LA GROSSE DAME

Avec un gros coussin sur le ventre, on sent son corps tout à fait différemment. Il n'est alors plus aussi évident de se déplacer.

Prenez de longs foulards ou une ceinture pour attacher des coussins sur votre ventre et dans votre dos. Enfilez une grande chemise ou un large pull-over par-dessus. À présent, vous avez une toute autre allure. Réussirez-vous à vous asseoir ? À danser ? À vous coucher sur le dos ou sur le ventre ?

Une fois que vous vous serez un peu habitué à votre nouveau corps, essayez de faire une culbute ou de ramper sous la table. L'un d'entre vous réussira peut-être même à sauter à la corde…

TROUS NOIRS

Attention, danger ! Le joueur qui ne sera pas prudent et qui tombera disparaîtra dans un trou noir.

Réalisez un parcours dans la pièce en disposant des coussins plus ou moins éloignés les uns des autres. Attachez-vous les pieds et, chacun à votre tour, sautez au-dessus des coussins sans tomber. Si vous marchez ou tombez sur l'un des coussins, vous devrez recommencer au départ. Si plusieurs joueurs parviennent à suivre le parcours en entier du premier coup, organisez une seconde manche et tentez d'effectuer le parcours à cloche-pied.

LA GROSSE DAME

ÂGE :
à partir de 4 ans

PARTICIPANTS :
2 enfants minimum

MATÉRIEL :
de nombreux coussins,
des foulards,
des ceintures ou
des cordelettes,
de vieilles chemises
ou des pull-overs larges,
une corde à sauter

TROUS NOIRS

ÂGE :
à partir de 4 ans

PARTICIPANTS :
2 enfants minimum

MATÉRIEL :
de nombreux coussins,
des morceaux de
cordelette

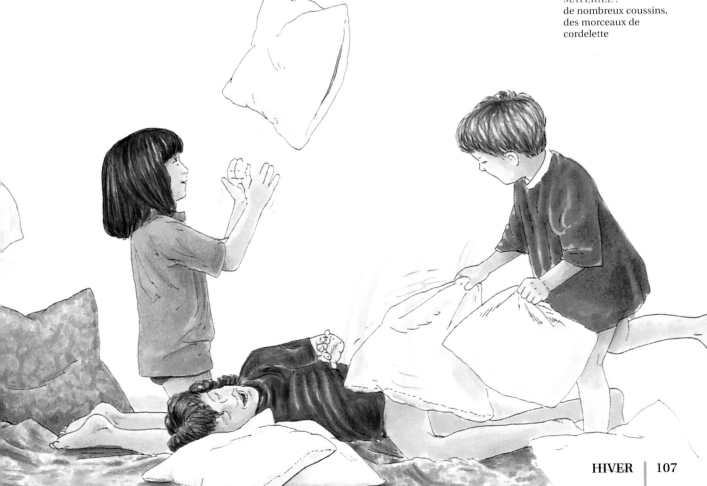

LE CLAPOTIS
DES GOUTTES
D'EAU

ÂGE :
à partir de 4 ans

PARTICIPANTS :
4 enfants minimum et
un adulte narrateur

MATÉRIEL :
un coussin par enfant

CHAISE
À BASCULE

ÂGE :
à partir de 4 ans

PARTICIPANTS :
3 enfants minimum

MATÉRIEL :
aucun

LE CLAPOTIS DES GOUTTES D'EAU

Très relaxant, ce jeu constituera une excellente pause entre deux activités plus mouvementées ou pourra mettre fin à un après-midi agité.

Asseyez-vous en cercle sur des coussins de façon à faire face au dos de l'enfant qui est assis devant vous. Le narrateur commence à raconter une histoire d'averse violente. Avec vos doigts, symbolisez l'intensité de la pluie sur le dos de l'enfant assis devant vous.

« Pendant toute la journée, le soleil brilla de mille feux, mais, le soir, des nuages noirs s'amoncelèrent dans le ciel. Un vent naissant offrait une caresse rafraîchissante et, finalement, les premières gouttes de pluie se mirent à tomber doucement sur le sol, avant de se transformer en une grosse averse.

Très vite, elles frappèrent plus fortement. Au bout de quelques minutes, la pluie perdit de son intensité. Les gouttes se firent de plus en plus rares et seul un vent léger soufflait encore. Le soleil recommença alors à briller. »

Les doigts tapotent parfois très doucement, parfois vigoureusement. Attention : la pluie doit atteindre tout le dos, il ne doit pas toujours pleuvoir à la même place. Lorsque, à la fin de l'histoire, le soleil sèche les flaques, laissez tomber les mains tranquillement.

CHAISE À BASCULE

Ce jeu plaît à tous les enfants, car il leur donne un sentiment agréable de sécurité et leur apporte une détente apaisante.

Deux adultes ou deux enfants de grande taille s'approchent l'un de l'autre à quatre pattes et collent leur flanc l'un contre l'autre. Un enfant s'étend alors sur le ventre sur le « lit » formé des deux dos, puis se laisse doucement bercer. Les mouvements doivent être tranquilles et réguliers, pour que les petits ne craignent pas de tomber. Lorsqu'un enfant a totalement savouré le bien-être, c'est au tour d'un autre de se faire bercer.

LE TI'PUNCH DES ENFANTS

1. Faites bouillir de l'eau avec un bâton de cannelle et des clous de girofle.

2. Dès que l'eau bout, plongez-y un sachet de thé et ôtez la casserole du feu.

3. Au bout de cinq minutes, ôtez les sachets de thé et les épices de l'eau, puis ajoutez le jus de fruit et le miel.

4. Faites chauffer de nouveau le mélange. Attention, il ne doit plus bouillir. Laissez-le ensuite refroidir et servez.

POMMES CUITES FARCIES

1. Mettez 125 g de beurre mou dans un saladier et battez-le vigoureusement au fouet.

2. L'un après l'autre, incorporez tous les ingrédients à l'exception de la crème, puis mélangez le tout.

3. À présent, ajoutez la crème jusqu'à obtenir un mélange onctueux.

4. Préchauffez le four à 200 °C. Pendant ce temps, épluchez les pommes et ôtez le trognon.

5. Dans le trou que vous obtenez, introduisez la crème au chocolat, puis placez les pommes l'une à côté de l'autre dans le plat et ajoutez un peu de beurre.

6. Mettez le plat au four. Après 30 à 40 minutes, les pommes sont cuites et très chaudes.

LE TI'PUNCH DES ENFANTS

INGRÉDIENTS POUR 4 ENFANTS :
1 l de jus de fruit au choix, 1/2 l d'eau, 2 sachets de thé noir, 1 bâton de cannelle, 2 clous de girofle, 2 cuillerées à soupe de miel

MATÉRIEL :
une casserole pouvant contenir 2 litres de liquide, une cuiller en bois, une cuiller à soupe, un verre gradué

POMMES CUITES FARCIES

INGRÉDIENTS POUR 4 ENFANTS :
4 pommes, 125 g de beurre, 75 g de noisettes pilées, 1 paquet de sucre vanillé, 1 cuillerée à soupe de cacao, du miel, un peu de crème

MATÉRIEL :
un vide-pomme, un couteau de cuisine, une cuiller en bois, un fouet, une petite cuiller pour mélanger, un plat allant au four

RÉPERTOIRE

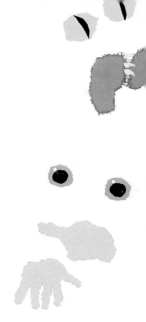

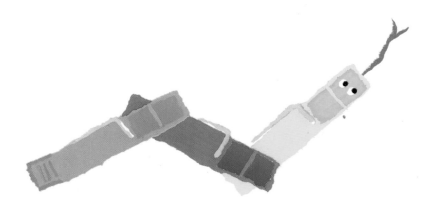

Dessins : Anke Lintz, Ingelheim
Illustrations au papier découpé : Ilse Stockmann-Sauer, Offenbach
Traduction : Vincent Deligne et Marie-Caroline Frappart

ISBN 2-203-14410-6

Imprimé en Belgique.
Dépôt légal février 1997 ; D 1997/0053/6
Déposé au ministère de la Justice, Paris
(loi n°49.956 du 16 juillet 1949 sur les publications destinées à la jeunesse).